Vos ressources pédagogiques en ligne !

Pour faciliter votre enseignement, découvrez des outils liés à

120 MINUTES POUR RÉUSSIR EN LITTÉRATIE

Animez votre bloc de littératie quotidien grâce à plus de 130 fiches reproductibles :

- Affiches pour l'enseignement explicite :
  - stratégies de lecture,
  - stratégies d'écriture,
  - stratégies de communication orale (prise de parole et écoute),
  - éléments d'écriture,
  - étapes de la présentation orale formelle ;
- Outils de suivi des élèves :
  - fiches d'observation,
  - fiches d'évaluations formative et sommative.

Achetez en ligne ou en librairie
En tout temps, simple et rapide !
www.cheneliere.ca

http://120-minutes.cheneliere.ca

CHENELIÈRE ÉDUCATION

120

minutes pour réussir en littératie

Un bloc quotidien pour enseigner les stratégies indispensables

Raymonde Malette
Christiane Vinet

CHENELIÈRE
ÉDUCATION

120 minutes pour réussir en littératie
Un bloc quotidien pour enseigner les stratégies indispensables

Raymonde Malette et Christiane Vinet

© 2015 TC Média Livres Inc.

Édition : France Robitaille
Coordination : Magali Blein
Révision linguistique : Jean-Pierre Regnault
Correction d'épreuves : Maryse Quesnel
Illustrations : Stéphane Morin
Conception de la couverture : Madeleine Eykel

**Catalogage avant publication
de Bibliothèque et Archives nationales du Québec
et Bibliothèque et Archives Canada**

Malette, Raymonde, 1954-

120 minutes pour réussir en littératie : un bloc quotidien pour enseigner les stratégies indispensables

Comprend des références bibliographiques.

ISBN 978-2-7650-3437-7

1. Arts du langage (Primaire). 2. Français (Langue) – Étude et enseignement (Primaire). I. Vinet, Christiane, 1950- . II. Titre. III. Titre : Cent vingt minutes pour réussir en littératie.

LB1577.F7M34 2014   372.6'044   C2014-941443-9

5800, rue Saint-Denis, bureau 900
Montréal (Québec) H2S 3L5 Canada
Téléphone : 514 273-1066
Télécopieur : 514 276-0324 ou 1 800 814-0324
info@cheneliere.ca

ISBN 978-2-7650-3437-7

Dépôt légal : 1er trimestre 2015
Bibliothèque et Archives nationales du Québec
Bibliothèque et Archives Canada

Imprimé au Canada

1   2   3   4   5   M   18   17   16   15   14

Nous reconnaissons l'aide financière du gouvernement du Canada par l'entremise du Fonds du livre du Canada (FLC) pour nos activités d'édition.

Gouvernement du Québec – Programme de crédit d'impôt pour l'édition de livres – Gestion SODEC.

Remerciements

À tous les enseignants et étudiants-maîtres à qui j'ai eu le plaisir d'enseigner, merci d'avoir été là, merci d'avoir manifesté votre engagement envers la profession enseignante. Croyez en la réussite de vos élèves et croyez en vous-mêmes. À l'instar de Monsieur Lazar, n'oubliez jamais que « la classe est un lieu où l'on donne sa vie ». Avec amour.

Christiane Vinet

À tous les enseignants et enseignantes, et particulièrement à ma fille Chantal, qui ont fait, qui font et qui feront une différence dans la vie d'un enfant ou d'un adolescent en lui offrant un enseignement de qualité, je vous dis « BRAVO et MERCI ». Un merci tout spécial à mon conjoint Gérard pour son aide en informatique et pour les photographies.

Raymonde Malette

Table des matières

Chapitre 5 L'enseignement d'un bloc de littératie
en communication orale 119

Chapitre 6 Les communautés d'apprentissage
professionnelles 129

Introduction

La raison d'être de cet ouvrage

Décider d'écrire un livre sur la réussite scolaire en littératie est un défi de taille auquel nous avons consacré tous nos efforts. À la suite de nos nombreuses années d'expérience en enseignement, nous avons voulu mettre sur papier l'organisation et le fonctionnement des blocs de littératie tels que nous les avons vécus. Nous avions à cœur de réaliser ce projet afin que notre cheminement puisse inspirer nos collègues.

Au fil des ans, bien des méthodes et pratiques pédagogiques sont venues faire leur tour de piste dans nos salles de classe. La plupart sont maintenant disparues. Cependant, nous en avons gardé l'essentiel : l'amélioration du rendement de l'élève passe d'abord par un enseignement de qualité.

Ce n'est qu'avec l'introduction de l'enseignement explicite et des blocs de littératie que nous avons constaté à quel point il est possible de faire progresser les élèves à leur propre rythme et de mettre en place des interventions qui peuvent faire toute une différence dans leur parcours scolaire. Le recours à diverses stratégies en lecture et en écriture, l'utilisation d'objectifs d'enseignement précis et mesurables, ainsi que le travail en communautés d'apprentissage professionnelles ont soutenu nos premières tentatives et notre désir d'aller plus loin dans la mise en place d'interventions gagnantes en littératie.

Faire réussir nos élèves : voilà bien ce que nous demande l'enseignement. Jour après jour, avec cœur et courage nous nous engageons dans notre métier d'enseignant pour donner le meilleur de nous-mêmes. Voilà donc la raison de cet ouvrage : partager avec les enseignants, ceux qui commencent dans la profession et ceux qui y sont depuis un certain temps, notre enthousiasme à l'égard de l'enseignement explicite et des blocs de littératie.

Qu'il soit enfant ou adolescent, l'apprenant a droit au meilleur enseignement qui soit. C'est donc dire que l'élève a besoin de modèles clairs et pertinents pour s'approprier de nouvelles connaissances et compétences. C'est ce que nous avons vécu dans nos salles de classe et c'est ce que nous voulons partager avec nos lecteurs. Nos essais et notre persistance nous ont menées à bon port, car, à la fin de nos carrières, nous pouvions affirmer sans l'ombre d'un doute que, par l'entremise des blocs de littératie, la réussite de l'élève ne se faisait pas attendre.

Les blocs de littératie permettent des changements bénéfiques quant à la dynamique de classe. Les élèves se sentent encadrés et acceptés tels qu'ils sont. L'enseignant montre comment faire, observe, prend note des résultats et intervient de façon appropriée. C'est de cette façon que nous avons apprivoisé nos blocs de littératie ; d'abord en lecture, puis en écriture et en communication orale. Par surcroît, nous avons vécu la solidarité et le soutien des communautés d'apprentissage professionnelles, alors solidement établies dans nos écoles, pour poser nos questions, exprimer nos doutes et célébrer nos succès.

Description de l'ouvrage

Les chapitres qui suivent présentent les fondements théoriques nécessaires à l'intégration des notions pédagogiques portant sur l'enseignement explicite, ainsi que sur le déroulement et la gestion des blocs de littératie. Nous présentons ensuite trois exemples de blocs de littératie; le premier en lecture, le deuxième en écriture et le troisième en communication orale. Ces trois piliers de l'acquisition des compétences en littératie font l'objet de descriptions détaillées et fournissent des outils de travail reproductibles, disponibles en annexes. Pour terminer, nous abordons le fonctionnement du travail en équipes de collaboration avec ses nombreuses possibilités de renouveau et de succès.

120 minutes pour réussir en littératie représente notre cheminement pédagogique. Celui-ci n'a pas tout à fait pris fin en 2006, puisqu'il se poursuit encore aujourd'hui, partout où nous donnons des formations.

C'est donc avec plaisir que nous invitons les enseignants à nous suivre dans la mise en œuvre de l'enseignement explicite et de l'utilisation efficace des blocs de littératie.

Nous espérons que notre route puisse être aussi la vôtre.

Chapitre 1

Les composantes du bloc de littératie

Lecture: stratégies, processus, situations d'enseignement et évaluation

Écriture: stratégies, processus, situations d'enseignement et évaluation

Communication orale: stratégies, processus, situations d'apprentissage et évaluation

Fondements théoriques des méthodes d'enseignement utilisées dans le bloc de littératie: enseignement explicite, enseignement réciproque et enseignement différencié

«Un enseignant compétent connaît les méthodes efficaces et sait ce dont chaque élève a besoin pour réussir.»

UNESCO, 1999.

Le bloc de littératie est un temps déterminé dans une journée scolaire pour l'enseignement des compétences en lecture, en écriture et en communication orale. Il est d'une durée de 120 minutes et a lieu quotidiennement. Idéalement, le bloc de littératie s'effectue de façon continue en limitant les interruptions. Une première période de 60 minutes est consacrée à l'enseignement explicite et une deuxième, de même longueur, est destinée à mettre en œuvre diverses activités d'apprentissage en littératie. Bien que certaines écoles optent pour le bloc de littératie de 100 minutes, le déroulement est le même, soit un premier volet pour l'enseignement explicite et un deuxième pour les activités d'apprentissage.

Dans le présent chapitre, nous définissons les composantes de la première période dans le but de fournir aux lecteurs un cadre théorique facilitant la compréhension et la rétention des connaissances essentielles à l'enseignement du bloc de littératie. Nous élaborons les éléments qui se rapportent aux 10 jours requis pour l'enseignement de la lecture et de l'écriture, puis ceux concernant les 5 jours nécessaires à l'enseignement de la communication orale. Nous terminons le chapitre 1 en expliquant les fondements théoriques de l'enseignement explicite, et en présentant brièvement l'apport de l'enseignement réciproque et de l'enseignement différencié dans la mise en œuvre du bloc de littératie.

Les contenus et le fonctionnement de la deuxième période sont, quant à eux, présentés au chapitre 2. Toutefois, le tableau 1.1 illustre le déroulement de l'enseignement explicite et des activités d'apprentissage durant un bloc complet de littératie de 120 minutes.

À noter que nous n'avons pas inclus la communication orale dans le tableau 1.1 puisque les stratégies d'écoute et de prise de parole s'enseignent différemment des stratégies de lecture et d'écriture. Le bloc de littératie en communication orale fait l'objet d'une présentation détaillée au chapitre 5.

Tableau 1.1 | **Le bloc de littératie en lecture et en écriture**

Première période de 60 minutes	Deuxième période de 60 minutes

Jour 1
• Lecture modelée/Écriture modelée; «modelage implicite» de la stratégie choisie (évaluation diagnostique)
 	
Jours 2, 3, 4, 5
• Lecture partagée/Écriture partagée; enseignement explicite et réciproque de la stratégie à l'étude en utilisant différents textes de littérature jeunesse
• Jour 2: Modelage explicite
• Jour 3: Pratique guidée
• Jour 4: Pratique coopérative (dyades)
• Jour 5: Pratique autonome (évaluation formative)
 	
Jours 6, 7, 8, 9
• Lecture guidée/Écriture guidée; enseignement différencié
• Jour 6: Niveau 1
• Jour 7: Niveau 2
• Jour 8: Niveau 3
• Jour 9: Niveau 4
* Centres de littératie
 	
Jour 10
• Correction des travaux faits en centres de littératie et possibilité d'évaluation sommative

	Activités à caractère formel
	• Activités portant sur la grammaire nouvelle
	• Activités portant sur les orthographes approchées
	• Activités portant sur les nouveaux modèles de dictée:
	  – Dictée zéro faute
	  – Dictée à trous
	• Ateliers de négociation graphique
	• Lecture autonome avec sacs de lecture, textes avec niveaux de difficulté gradués, carnets de lecture autonome, entretiens de lecture – élèves de 6 à 8 ans seulement)
	• Écriture autonome (rédaction d'un texte mettant en application une stratégie d'écriture déjà enseignée, dossier d'écriture, entretiens d'écriture – tous les élèves)
	• Cercles de lecture avec journal dialogué (élèves de 9 à 11 ans)
	• Présentations orales formelles
	
	Activités à caractère ludique
	• Théâtre de lecteur
	• Chaise de l'auteur
	• Activités portant sur les intelligences multiples
	• Activités portant sur les murs de mots
	• Lecture personnelle
	• Écriture personnelle
	• Animation d'activités de littérature jeunesse

Comme l'indique le tableau 1.1, la première période du bloc de littératie est réservée à l'enseignement explicite. Plus particulièrement, elle comporte l'enseignement des stratégies suivantes :

- **lecture** ciblant la compréhension de textes ;
- **écriture** ciblant la rédaction de textes ;
- **communication orale** ciblant la prise de parole et l'écoute.

Pour enseigner ces compétences essentielles, l'enseignant utilise des processus et des situations d'enseignement, lesquels font appel aux modèles d'enseignement explicite, réciproque et différencié. L'évaluation de l'élève est présente à toutes les étapes de ces apprentissages.

Si nous reprenons cette définition du bloc de littératie, nous constatons qu'une stratégie de lecture, d'écriture ou de communication orale s'enseigne selon le déroulement logique et séquentiel des processus et des situations d'enseignement des compétences en littératie. Tous ces éléments permettent le développement des habiletés dans tous les domaines de la littératie et ils ont comme toile de fond différentes méthodes d'enseignement que l'enseignant utilise tour à tour afin de répondre aux exigences d'un enseignement efficace.

L'évaluation des apprentissages, pour sa part, se fait d'abord au début du bloc de littératie afin de déterminer les connaissances antérieures de l'élève ; c'est l'évaluation diagnostique au service de l'apprentissage. Celle-ci est suivie des évaluations formatives en tant qu'apprentissage qui se déroulent durant le bloc de littératie et qui permettent à l'enseignant de soutenir l'élève durant l'acquisition de nouvelles connaissances. Quant à l'évaluation sommative de l'apprentissage, elle a lieu à la fin du bloc de littératie afin d'accorder une note ou un niveau de réussite au travail de l'élève.

La figure 1.1 reprend les composantes du bloc de littératie que nous venons d'énumérer.

Figure 1.1 | **Les composantes du bloc de littératie**

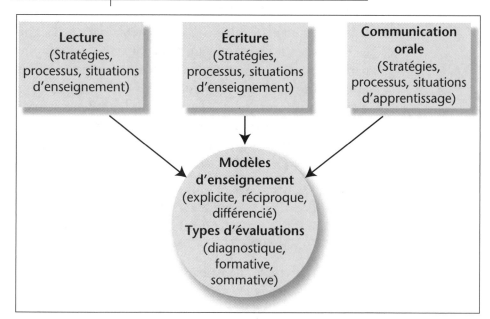

La lecture

Les stratégies de lecture ciblant la compréhension de textes

Bien que la lecture s'appuie sur les capacités de l'élève à décoder des syllabes, à reproduire des sons et à reconnaître des mots familiers, la compréhension en lecture exige beaucoup que le simple déchiffrement d'un texte. Les nombreuses recherches en pédagogie s'accordent pour dire que pour profiter de sa lecture, l'élève doit être en mesure d'en construire le sens. Lire, c'est comprendre le message de l'auteur, mais aussi faire des liens avec ses propres expériences et interpréter un texte dans un contexte différent de celui du livre. Ce travail de compréhension s'enseigne explicitement durant la première période du bloc de littératie en outillant l'élève d'une panoplie de stratégies qui lui permettent de naviguer à travers un texte, sans en perdre le sens. En plus de construire le sens d'un texte, nous ajoutons que lire, c'est aussi utiliser des stratégies qui orientent correctement le lecteur vers son objectif de lecture.

Les stratégies de compréhension en lecture pour les élèves de 6 à 8 ans (1re à 3e année) (*voir le tableau 1.2*) ciblent la compréhension d'un texte. L'élève est amené à trouver le sens d'un mot nouveau par l'utilisation d'indices de sens, de synonymes et de mots de substitution (pronoms). La lecture par groupes de mots, qui donne au texte son rythme et sa fluidité, aide l'élève à visualiser ce que le texte décrit. Ce faisant, l'élève parvient à identifier la structure d'un récit et l'ordre chronologique dans lequel il se déroule. Lorsque le jeune lecteur peut saisir le sens de comparaisons et d'expressions figurées, anticiper la suite d'une histoire ou en prédire la fin, il démontre qu'en utilisant les stratégies de lecture enseignées, il peut en effet comprendre et interpréter un texte.

Pour les élèves de 9 à 11 ans (4e à 6e année) (*voir le tableau 1.2*), les stratégies de compréhension en lecture vont au-delà de la récupération de sens d'un texte. Le lecteur utilise le questionnement, la prise de notes, l'inférence, le résumé et la synthèse pour comprendre un texte en profondeur, le critiquer et l'apprécier. L'usage répété de ces stratégies de lecture se transforme peu à peu en automatismes, lesquels contribuent à améliorer l'autonomie de l'élève en lecture.

Il existe plusieurs stratégies de compréhension en lecture et l'élève les utilise simultanément; il n'y a pas d'ordre particulier pour les apprendre. Puisque ces stratégies sont importantes pour la réussite de l'élève en lecture, il arrive que les enseignants se questionnent sur la manière de procéder pour toutes les enseigner. À ce sujet, nous proposons une cartographie (distribution) des stratégies de lecture pour les élèves de 6 à 11 ans (*voir le tableau 1.2*).

Chacune des stratégies de compréhension en lecture, telles qu'identifiées dans le tableau 1.2, a été développée (à titre de suggestion) dans des gabarits d'enseignement explicite présentés à l'annexe B (*voir les fiches reproductibles 1.2 à 1.21*).

Voici un exemple de gabarit d'enseignement explicite (*voir la fiche reproductible 1.1*).

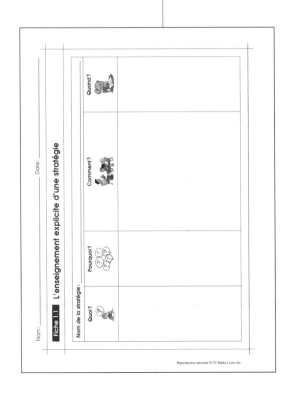

Tableau 1.2 | **Les stratégies de lecture**

Stratégies de lecture pour les élèves de 6 à 8 ans (1re à 3e année)	Stratégies de lecture pour les élèves de 9 à 11 ans (4e à 6e année)
• J'anticipe et je fais des prédictions. • Je lis par groupes de mots. • Je trouve le sens d'un mot nouveau. • Je reconnais les mots de substitution. • Je me fais une image dans la tête. • Je reconnais la structure d'un récit. • Je trouve le sujet du texte. • Je comprends les expressions figurées et le sens des messages dans un texte. • Je trouve l'ordre chronologique.	• Faire appel à ses connaissances personnelles. • Anticiper et prédire. • Se faire une image. • Savoir comment prendre des notes. • Se poser des questions. • Trouver les idées importantes d'un texte. • Comprendre les inférences. • Vérifier sa compréhension. • Résumer un texte. • Apprécier un texte. • Faire une synthèse.

Source : adapté du MINISTÈRE DE L'ÉDUCATION DE L'ONTARIO (2006). *Fascicule 4 : Les situations d'enseignement.*

Le processus de lecture ciblant l'acquisition de compétences

Le processus de lecture fait référence aux différentes étapes à suivre dans l'acquisition des compétences qui lui sont reliées (*voir la figure 1.2*). Ces trois étapes (avant, pendant et après l'apprentissage) jalonnent la progression des compétences vers un objectif ciblé, soit la compréhension d'un texte à lire. Ainsi, la prélecture, la lecture et la réaction à la lecture forment la charpente du processus de lecture dont l'élève doit s'approprier chaque étape afin d'utiliser à bon escient les stratégies de compréhension en lecture qui lui sont enseignées.

Figure 1.2 | **Le processus de lecture**

Avant
• Prélecture : intention, prédiction, tableau SVA

Pendant
• Lecture : mise en application de la stratégie à l'étude

Après
• Réaction à la lecture : réaction au texte lu et création de liens

Avant – Prélecture

L'enseignant stimule les connaissances des élèves au sujet des étapes de la prélecture (*voir le tableau 1.3, page suivante*) : l'intention, la prédiction, le tableau SVA (*voir le tableau 1.4, page suivante, et la fiche reproductible 1.65*). Pour ce faire, il privilégie les stratégies suivantes :

■ faire appel à ses connaissances personnelles ;

■ se faire une image ;

■ anticiper et prédire ;

■ se poser des questions.

Tableau 1.3 | **Les étapes de la prélecture**

Je sais pourquoi je lis	Je cherche des indices	Je fais mon tableau SVA
L'intention • Pour me divertir. • Pour m'informer. • Pour apprécier les idées et le style de l'auteur.	**La prédiction** • Je fais un survol du texte. • J'observe les illustrations. • Je regarde le titre, les sous-titres. • Je regarde s'il y a des mots en caractères gras. • Je consulte la table des matières. • Je détermine le genre de texte dont il s'agit. • Je détermine l'intention de l'auteur. • Je fais des prédictions.	• Je pense à ce que je sais déjà à propos de ce texte. • Je me fais des images dans ma tête. • J'écoute ce que les autres connaissent du sujet. • Je me demande ce que je veux apprendre en lisant ce texte. • Lorsque j'ai fini de lire le texte, je détermine ce que j'ai appris de nouveau en faisant cette lecture. Le A du SVA se fait après la lecture.

Tableau 1.4 | **Un exemple de tableau SVA**

S	V	A
Que sais-tu déjà au sujet de cette histoire ou de ce genre de texte?	Que veux-tu savoir en écoutant ou en lisant ce texte?	Qu'as-tu appris en écoutant ou en lisant ce texte?
Les élèves font part de leurs connaissances antérieures ou de ce qu'ils savent sur le sujet du texte.	Les élèves indiquent ce qu'ils aimeraient découvrir ou ce qu'ils veulent savoir au sujet du texte.	Les élèves résument ce qu'ils ont appris sur le sujet en écoutant ou en lisant ce texte.
L'enseignant écrit quelques réponses des élèves.	L'enseignant écrit quelques questions des élèves.	L'enseignant écrit quelques commentaires et réactions des élèves.

Pendant – Lecture

L'enseignant encourage les élèves à utiliser les stratégies de lecture qu'ils connaissent afin de construire le sens du texte à lire (*voir le tableau 1.5*). Il va sans dire que ces stratégies auront été enseignées selon les étapes de l'enseignement explicite et réutilisées chaque fois que l'élève est en situation de lecture.

Après – Réaction à la lecture

L'enseignant fait un retour sur les prédictions et les hypothèses qui ont été faites avant la lecture; il effectue ensuite un rappel de texte, puis il donne aux élèves l'occasion d'expliquer leurs réactions sur le texte lu et d'en faire l'appréciation (*voir le tableau 1.6*). Pour ce faire, l'enseignant privilégie les stratégies suivantes:

▪ résumer un texte;

▪ faire une synthèse;

▪ apprécier un texte.

Les stratégies de lecture ainsi que le processus de lecture développent les habiletés métacognitives du lecteur. Il peut ainsi atteindre l'autonomie nécessaire pour réparer les bris de compréhension pouvant survenir en cours de lecture et apprécier le véritable sens de sa lecture.

Tableau 1.5 | **Des exemples de stratégies de lecture**

Stratégies de lecture	Exemples d'explications à donner aux élèves
Je découvre le sens des mots nouveaux.	Je comprends les mots difficiles en regardant ce qui vient avant et ce qui vient après dans le texte, ou je trouve un petit mot que je connais dans le mot nouveau.
Je reconnais les mots de substitution.	Je me demande qui est « il » ou « elle » dans la phrase.
Je lis par groupes de mots.	J'encode mes mots les uns à la suite des autres ; je m'arrête aux points et aux virgules jusqu'à ce que je puisse voir une image dans ma tête.
Je comprends les expressions figurées et le sens des messages dans un texte.	Je lis « entre les lignes ». Je cherche des indices et je pense à ce que je connais sur le sujet.
Je trouve le sujet du texte.	Je trouve de quoi parle le texte à partir d'un mot-clé du texte.
Je reconnais la structure d'un récit.	Je reconnais toutes les étapes du récit : la situation de départ, l'événement déclencheur, les péripéties, le dénouement et la fin.
Je trouve l'ordre chronologique d'un récit ou d'un conte.	Je replace les événements de l'histoire dans l'ordre où ils sont arrivés, au début, au milieu ou à la fin.
Je vérifie ma compréhension.	Je comprends que des mots comme « et », « car », « puisque », « alors », « par ailleurs » attachent des parties de phrase ensemble. Je redis dans mes mots un passage que je viens de lire.
Je trouve les idées importantes du texte.	Je repère les indices sémantiques et graphiques du texte (titre, sous-titres, nouvelles informations, mots en caractères gras, en italique ou soulignés).
Je sais comment prendre des notes.	Je souligne ou surligne l'information que je trouve importante et qui me renseigne au sujet du récit, des personnages ou de l'information que je cherche dans le texte.

Tableau 1.6 | **Des exemples de réflexions métacognitives pour résumer et apprécier un texte**

Confirmations	Réactions/Appréciation
• Je peux confirmer mes prédictions. • Je peux confirmer l'intention de l'auteur. • Je peux dire de quoi parle ce texte. • Je peux nommer le genre de texte dont il s'agit. • Je peux nommer la situation de départ, l'événement déclencheur, les péripéties, le dénouement et la fin de l'histoire si le texte est un récit. • Je peux trouver l'ordre chronologique de ce récit. • Je peux trouver les informations que je cherche s'il s'agit d'un texte informatif. • Je peux trouver le sens de plusieurs mots nouveaux.	• Je peux parler de cette lecture (les événements, les informations, le style de l'auteur, les valeurs véhiculées dans ce texte). • Je peux faire d'autres lectures sur le même sujet. • Je peux faire un dessin des événements que j'ai aimés dans le texte. • Je peux faire d'autres lectures de textes du même auteur. • Je peux dire ce que j'ai appris, ce que j'ai aimé et moins aimé en lisant ce texte (c'est le A du tableau SVA). • Je peux proposer une autre fin pour ce récit ou d'autres comportements pour les personnages.

■ Avant la lecture, l'élève fait connaissance avec le texte.

■ Pendant la lecture, l'élève intègre et comprend le texte.

■ Après la lecture, l'élève réagit au texte et le critique.

Ces trois variables démontrent toute la portée du processus utilisé pour enseigner la lecture et l'importance qu'il faut accorder à l'enseignement systématique de ce processus. C'est dans ce sens que Giasson (1995, p. 21) explique que « plus les variables lecteur, texte et contexte seront imbriquées les unes dans les autres, "meilleure" sera la compréhension ».

Les situations d'enseignement de la lecture

À la suite de la présentation des stratégies de lecture (*voir le tableau 1.2, page 7*) et du processus qui soutient leur apprentissage (*voir la figure 1.2, page 7*), continuons notre réflexion sur les composantes du bloc de littératie en considérant comment nous pouvons organiser et structurer cet enseignement en fonction des besoins de l'élève. Puisque les compétences en lecture ne peuvent être toutes enseignées et apprises en même temps, une structure et un déroulement logique s'imposent afin de rendre aussi claire et souple que possible la transmission des nombreuses connaissances en littératie. Ainsi, pour enseigner la lecture, nous parlons de situations d'enseignement qui ont toujours lieu durant la première période du bloc de littératie et qui s'échelonnent habituellement sur 10 jours. Ces situations s'enseignent explicitement et selon l'ordre des processus reliés à l'acquisition des compétences en littératie, soit les étapes avant, pendant et après.

Bien qu'elles diffèrent les unes des autres, les situations d'enseignement se complètent dans le but de répondre aux besoins des différents styles d'apprentissage. Certains élèves ont besoin de voir et d'entendre comment s'utilise une stratégie pour en tirer profit, d'autres doivent s'entraîner à utiliser une stratégie pour vraiment la comprendre et l'utiliser alors que d'autres encore préfèrent l'appliquer à leur lecture de façon autonome afin de l'intégrer à leurs connaissances en littératie. Les enseignants ont donc fort à faire. Ils expliquent, démontrent, modélisent, font faire des activités de groupe et des pratiques individuelles afin que puisse s'effectuer une transition harmonieuse vers l'usage autonome d'une stratégie de compréhension en lecture. La démarche concernant ce modèle d'enseignement est expliquée au chapitre 3.

Les descriptions qui suivent présentent une définition pour chacune des quatre situations d'enseignement, leurs objectifs et leurs caractéristiques, ainsi que différents types d'évaluations auxquelles les enseignants peuvent avoir recours.

| Figure 1.3 | Les situations de lecture |

Lecture modelée — Lecture partagée — Lecture guidée — Lecture autonome

La lecture modelée

La lecture modelée poursuit deux objectifs : procurer le plaisir de lire et agir comme tremplin dans l'introduction d'une stratégie de lecture dont la classe fera l'étude durant le bloc de littératie.

La lecture aux élèves est sans nul doute la plus importante situation d'enseignement de la lecture. De ce fait, il est recommandé de faire chaque jour de la lecture aux élèves ou aussi souvent que possible, et ce, quel que soit le niveau scolaire. Cette lecture à voix haute doit être bien préparée et habilement animée par l'enseignant. Les gestes, le regard, la voix, différents accessoires amusants, tout contribue à susciter le plaisir de lire et la motivation à lire. La lecture aux élèves représente le modèle par excellence d'une lecture fluide, imprégnée d'aisance et d'expression.

Par contre, au moment d'amorcer l'enseignement d'une stratégie de lecture, c'est par la lecture aux élèves que celle-ci est introduite. Sans jamais nommer la stratégie comme telle, l'enseignant en fait toutefois la démonstration devant la classe. C'est-à-dire qu'il se questionne au sujet du texte et explique comment il trouve réponse à ses questions. Ce genre d'exercice où l'enseignant réfléchit à voix haute devant ses élèves s'appelle un modelage. En voici un exemple :

Devant un mot nouveau comme «chronomètre» l'enseignant pourrait dire au groupe-classe :

■ Que puis-je faire pour comprendre ce mot ?

■ Je peux le relire une syllabe à la fois «chro-no-mè-tre».

■ Je peux voir ce qui est écrit avant ou après.

■ Dans le texte, on dit qu'il existe des instruments pour mesurer le temps.

■ Je peux continuer de lire et voir si je trouve un indice qui va m'aider à comprendre.

■ Je vois une illustration d'un objet qui ressemble à une montre et je sais qu'une montre indique l'heure. Alors un «chronomètre» doit être un instrument pour mesurer le temps.

■ Je comprends mieux ce mot maintenant.

Le modelage d'une stratégie exige une préparation minutieuse de la part de l'enseignant, car l'élève doit avoir un très bon modèle pour comprendre l'importance de réfléchir sur sa manière d'apprendre et de bien articuler sa pensée pour soutenir sa compréhension.

Possibilités d'évaluation de la lecture modelée :

Par un simple questionnement comme «Et toi ? Que fais-tu lorsque tu rencontres un mot nouveau ?», il est possible de faire une évaluation diagnostique afin de déterminer les connaissances antérieures des élèves concernant la stratégie qui sera enseignée. Il est également possible d'effectuer une évaluation formative afin de déterminer la progression de l'apprentissage d'une stratégie que les élèves connaissent déjà.

Lorsqu'elle est utilisée pour introduire une stratégie de compréhension, la lecture aux élèves représente le Jour 1 du bloc de littératie en lecture.

La lecture partagée

La lecture partagée est au cœur de l'enseignement explicite. C'est ici que l'enseignant annonce clairement l'étude d'une stratégie de compréhension en lecture qui fera l'objet :

■ d'un modelage ;

■ d'une pratique guidée ;

■ d'une pratique coopérative ;

■ d'une pratique autonome.

Cette démarche représente le cadre de travail permettant à l'élève d'étudier, de différentes manières, une même stratégie. Tous les élèves n'apprenant pas de la même façon, la démarche d'enseignement explicite leur donne la possibilité d'apprendre selon leur propre rythme et leur style d'apprentissage.

Les textes utilisés pour l'étude d'une stratégie de lecture peuvent être de différents genres (récits ou documentaires), mais ils doivent correspondre aux niveaux d'autonomie des élèves en lecture.

Pour le modelage (Jour 2 du bloc de littératie), l'enseignant doit :

■ identifier la stratégie à enseigner ;

■ choisir un texte approprié à la stratégie à l'étude (il est possible de reprendre une partie du texte lu aux élèves durant le Jour 1) ;

■ faire ressortir le vocabulaire qui pourrait poser problème et l'expliquer brièvement (il est possible de commencer un mur de mots, *voir un exemple au chapitre 2*) ;

■ modéliser explicitement la stratégie en verbalisant la réflexion cognitive nécessaire à sa compréhension ;

■ expliquer en quoi consiste cette stratégie et pourquoi elle est importante ;

■ remplir les colonnes « Quoi ? » et « Pourquoi ? » dans le gabarit d'enseignement explicite (*voir le chapitre 2*).

Le modelage effectué en lecture partagée est tout à fait semblable à celui fait en lecture modelée. L'enseignant commence par donner un contre-exemple pour définir la stratégie. Ensuite, il exprime le questionnement relié à l'utilisation de cette stratégie. Enfin, le modelage se termine lorsque l'enseignant identifie clairement la stratégie.

Si nous reprenons l'exemple du modelage présenté précédemment, l'enseignant commencerait le modelage en disant :

■ Pour trouver le sens d'un mot nouveau, je commence par relire le passage où est placé ce mot.

■ Ensuite, je prends le temps de lire ce qui est écrit avant et après le mot. Il y a sûrement de l'information ou des détails qui pourraient m'aider.

■ Puis, je cherche dans le mot nouveau, un mot ou une partie d'un mot que je connais déjà.

■ Enfin, après toutes ces tentatives je comprends le mot nouveau.

L'enseignant finirait le modelage en disant au groupe-classe :

■ Je comprends maintenant ce que je dois faire pour utiliser la stratégie *Je trouve le sens d'un mot nouveau.*

Pour la pratique guidée (Jour 3 du bloc de littératie), l'enseignant doit :

■ choisir un texte qui convient à la stratégie (il peut s'agir d'une autre partie d'un texte déjà utilisé) ;

■ expliquer au groupe-classe comment se servir de cette stratégie en faisant un modelage avec quelques élèves groupés devant la classe (c'est la technique de « l'aquarium ») ;

■ aider les élèves à verbaliser leur processus de réflexion portant sur la stratégie à l'étude.

■ remplir la colonne « Comment ? » dans le gabarit d'enseignement explicite (*voir le chapitre 2*) en indiquant toutes les étapes à suivre pour arriver à comprendre la stratégie à l'étude.

Pour la pratique coopérative (Jour 4 du bloc de littératie), l'enseignant doit :

■ choisir un nouveau texte ;

■ expliquer à quel moment cette stratégie doit être utilisée ;

■ dans un contexte d'enseignement réciproque, regrouper les élèves en dyades afin qu'ils appliquent la stratégie en se consultant et en s'aidant mutuellement ;

■ accorder un temps d'objectivation afin que les dyades présentent le résultat de leur travail et les questions que les élèves pourraient se poser.

Pour la pratique autonome (Jour 5 et fin de la première semaine du bloc de littératie), l'enseignant doit :

■ choisir un nouveau texte ;

■ revoir la démarche d'application de la stratégie avec les élèves ;

■ laisser les élèves appliquer la stratégie de façon individuelle en les encourageant à faire référence aux exercices réalisés en classe durant la semaine ;

■ recueillir le travail fait en pratique autonome afin d'organiser les groupes de lecture guidée.

Possibilités d'évaluation de la lecture partagée :

L'observation du comportement des élèves durant le modelage et les pratiques de la stratégie représente l'évaluation diagnostique qui permet à l'enseignant de constater si l'apprentissage « passe » ou « ne passe pas ». Après la pratique autonome, il est important que l'enseignant recueille le travail des élèves. Il devient l'évaluation formative définissant la composition des groupes en lecture guidée, lesquels travailleront avec l'enseignant dans un contexte d'enseignement différencié durant la deuxième semaine du bloc de littératie.

Le chapitre 3 reprend l'enseignement d'une stratégie de lecture, son déroulement ainsi que l'utilisation du gabarit d'enseignement explicite.

La lecture guidée

La lecture guidée a pour unique but d'offrir aux élèves des séances d'enseignement différencié. Ces séances sécurisent les élèves au regard de leur performance en lecture et fournissent de multiples occasions d'interventions personnalisées de la part de l'enseignant. Les groupes sont formés à partir des résultats obtenus lors de l'évaluation formative du Jour 5. L'enseignant attribue un niveau de performance à chaque élève, le niveau 1 étant le plus bas et le niveau 4, le plus haut. Les élèves sont réunis selon leur niveau de performance et forment des groupes dits « homogènes » (élèves ayant des besoins semblables).

Pour la lecture guidée (Jours 6 à 10 du bloc de littératie), l'enseignant doit :

- différencier les textes que les élèves liront ;
- différencier l'utilisation de la stratégie à l'étude pour chacun des groupes (longueur et complexité de la tâche) ;
- vérifier la progression des apprentissages.

Selon un horaire préétabli, les élèves d'un même groupe (même niveau de performance) se rassemblent autour de leur enseignant dans un coin de la classe aménagé pour la lecture guidée pendant que les autres sont au travail dans les centres de littératie. Ces éléments d'enseignement sont présentés au chapitre 2.

Possibilités d'évaluation de la lecture guidée :

Le travail réalisé et les discussions effectuées dans les groupes de lecture guidée servent d'évaluations formatives qui fournissent des rétroactions positives et des suggestions d'amélioration du rendement. Une évaluation sommative peut avoir lieu le Jour 10 du bloc de littératie si la rotation des groupes de lecture guidée est terminée.

La lecture autonome

La lecture autonome est la démonstration par l'élève de l'intégration des stratégies de lecture apprises en enseignement explicite. Il est donc nécessaire de cibler des périodes précises de lecture autonome durant le bloc littératie. Pour ce faire, l'élève aura accès à des textes de littérature jeunesse nivelés, par exemple selon les critères du *Coffret d'évaluation en lecture GB+* (2010)[1]. L'évaluation individualisée de l'élève effectuée au début de l'année scolaire détermine son niveau d'autonomie en lecture. L'élève franchit habituellement plusieurs niveaux au cours de l'année, grâce à l'enseignement explicite des stratégies de lecture. Cette progression est déterminée par les enseignants lors des entretiens de lecture. Ces entretiens, qui ont lieu durant la deuxième période du bloc de littératie, sont indispensables pour mesurer avec efficacité l'utilisation des stratégies de lecture en contexte autonome. Pour ce qui est des élèves de 9 à 11 ans (4e à 6e année), ceux-ci font de la lecture autonome dans le vrai sens du terme. C'est-à-dire qu'ils choisissent des lectures selon leurs intérêts et écrivent leurs impressions dans un carnet ou un journal de lecture. On ne

---

1. Inspiré des échelles critériées de performance en lecture de Marie M. Clay. Niveaux 1 à 30 pour le Québec, niveaux équivalents 1 à 18 ailleurs au Canada. À noter que les niveaux d'autonomie en lecture selon l'échelle GB+ s'appliquent uniquement aux élèves de 6 à 8 ans (1re à 3e année).

parle plus de niveaux d'autonomie selon une échelle préétablie par un outil d'évaluation destiné à ces élèves. Cependant, il est important de continuer les entretiens de lecture afin de vérifier l'amélioration des compétences. Le chapitre 2 fournit plus de précisions au sujet de la lecture autonome.

Il est important de retenir que la lecture autonome n'est pas synonyme de « lecture personnelle ». Bien que celle-ci puisse avoir lieu tous les jours, elle est habituellement de courte durée (15 minutes après la période du dîner, 10 minutes avant le signal du départ à la fin de la journée ou encore lorsqu'un élève a terminé son travail). Pour ce genre de lecture, les élèves utilisent des livres qui proviennent de la maison, de la bibliothèque de l'école ou d'une bibliothèque municipale. Seuls les textes nivelés réservés à la lecture autonome sont placés sur les rayons de la bibliothèque de la classe.

Possibilités d'évaluation de la lecture autonome :

La lecture autonome ne se prête d'aucune façon à l'évaluation sommative. Les entretiens de lecture portant sur l'interprétation d'un texte, le travail fait dans le carnet de lecture (*voir le chapitre 2*) et l'utilisation des stratégies enseignées pour mieux comprendre un texte sont autant d'occasions d'évaluations diagnostiques et formatives qui permettent de déterminer un niveau d'autonomie suffisant pour que l'élève puisse accéder à un niveau plus élevé en lecture.

Le tableau 1.7 résume les objectifs reliés aux situations de lecture et démontre la diminution de l'aide apportée à l'élève par l'enseignant. C'est le principe de l'étayage qui, étant élevé au début de l'apprentissage, diminue peu à peu pour amener l'élève à gérer ses connaissances de façon autonome.

Tableau 1.7 | Les objectifs des situations de lecture

Lecture modelée par l'enseignant	Lecture partagée par l'enseignant et avec l'aide des élèves	Lecture guidée par l'enseignant avec un petit groupe d'élèves	Lecture autonome par l'élève
Plaisir de lire	Enseignement explicite	Enseignement différencié	Démonstration des acquis
Introduction à la stratégie	Modelage et manipulation de la stratégie	Consolidation de la stratégie	Intégration/utilisation de la stratégie

L'écriture

Les stratégies d'écriture ciblant la rédaction de textes

L'enseignement des compétences en écriture peut sembler un défi pour les enseignants. La technologie ayant envahi le foyer et l'école, il devient parfois difficile de motiver les élèves à peaufiner des textes. L'enseignant doit donc faire preuve de créativité pour que les élèves découvrent l'importance, la pertinence et le plaisir d'écrire. Des expériences motivantes d'écriture comme le journal de bord, le journal de l'école ou la correspondance avec des jeunes de leur âge d'une autre école ou d'un autre pays mettent les élèves en situation d'apprentissage authentique et les incitent à développer leurs capacités en écriture.

Regie Routman (2010) explique que les enseignants doivent examiner leur pratique, se poser des questions et choisir judicieusement les principes capables de transformer leur classe en un endroit où les élèves écrivent, discutent, partagent et construisent ensemble leurs compétences de scripteurs. En donnant aux élèves des occasions d'écrire sur des sujets de leur choix et de se fixer des objectifs d'écriture qu'ils peuvent atteindre, les enseignants parviennent à mettre les élèves en confiance et à profiter de toutes les occasions d'écriture pour faire connaître aux élèves les nombreuses possibilités d'apprentissage qu'offrent les stratégies d'écriture.

Les stratégies d'écriture sont les mêmes pour les élèves de 6 à 11 ans et elles sont enseignées explicitement durant la première période du bloc de littératie. Les activités d'appréciation de textes littéraires, d'appréciation des éléments ou traits d'écriture tels que le style et la fluidité d'un texte, les périodes d'écriture personnelle ainsi que la lecture de textes écrits par d'autres jeunes sont d'excellentes situations d'apprentissage qui stimulent la motivation en écriture et préparent le terrain pour l'écriture autonome.

Les élèves ont besoin de modèles pour pouvoir produire de bons textes et leurs enseignants sont leurs mentors. Ceux-ci ne doivent pas hésiter à montrer à leurs élèves comment cibler une intention d'écriture, dresser un plan, rédiger une ébauche, corriger les fautes d'orthographe lexicale et grammaticale, et préparer la version finale d'un texte. Ces compétences s'acquièrent graduellement et à partir d'exercices qui sont pertinents pour les élèves. C'est pour cette raison que les stratégies d'écriture sont enseignées et revues tout au long du parcours scolaire de l'élève, et ce, dès la 1re année.

Le chapitre 4 contient un exemple d'enseignement explicite d'une stratégie d'écriture. Les stratégies d'écriture énumérées dans le tableau 1.8 sont présentées à l'annexe C (*voir les fiches reproductibles 1.22 à 1.39*).

Tableau 1.8 | **Les stratégies d'écriture**

Stratégies d'écriture pour les élèves de 6 à 8 ans (1re à 3e année)	Stratégies d'écriture pour les élèves de 9 à 11 ans (4e à 6e année)
Je décide pourquoi et pour qui j'écris ce texte.	Cibler l'intention d'écriture, les destinataires et le type de texte.
Je fais appel à ce que je sais déjà.	Faire appel à ses connaissances personnelles.
Je cherche des informations sur le sujet de ma rédaction.	Chercher des informations sur le sujet.
Je planifie et j'organise mes idées.	Dresser un plan.
Je rédige une ébauche.	Rédiger une ébauche.
Je révise la structure de mon texte.	Réviser la structure de son texte.
Je modifie mon texte pour l'améliorer.	Réviser pour améliorer son texte.
Je vérifie l'orthographe lexicale et grammaticale.	Vérifier l'orthographe lexicale et grammaticale.
Je prépare la version finale de mon texte.	Préparer son texte pour la publication.

Source : adapté du MINISTÈRE DE L'ÉDUCATION DE L'ONTARIO (2008a). *Fascicule 7 : L'écriture.*

Le processus d'écriture ciblant l'acquisition de compétences

Afin que les élèves puissent s'engager pleinement dans des projets d'écriture qu'ils aimeront répéter, l'écriture doit leur sembler une démarche accessible et plaisante. Puisque les étapes de planification, de rédaction, d'ébauche, de révision, de correction et de publication, qui représentent les composantes du processus d'écriture, reprennent de façon très semblable le déroulement des stratégies d'écriture, les élèves n'ont pas à souffrir de l'angoisse de la page blanche. Très tôt au début du processus d'écriture, ils se sentent à l'aise pour écrire et prêts à explorer les sujets qui les intéressent. En mettant à leur disposition un processus qu'ils peuvent suivre assez facilement, il devient moins inquiétant pour les élèves de faire fausse route.

Figure 1.4 Le processus d'écriture

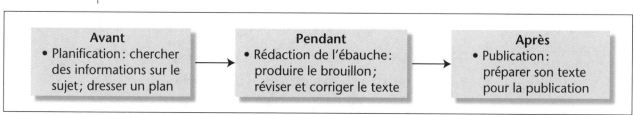

La description du processus d'écriture présentée ci-après s'appuie sur les capacités des jeunes scripteurs à utiliser leurs connaissances des différents genres de textes, des conventions linguistiques et grammaticales, des éléments de style, des outils de référence qui sont à leur disposition et des technologies modernes qui facilitent la rédaction et la mise en page d'un texte.

Le processus d'écriture se définit comme suit.

Avant – Planification

À cette étape, l'élève doit :

▓ déterminer son intention d'écriture et savoir pourquoi et pour qui il écrit ;

▓ faire appel à ses connaissances antérieures sur le sujet (lectures, films, expériences personnelles) ;

▓ connaître les caractéristiques du genre de texte qu'il veut écrire ;

▓ s'imprégner du sujet en faisant des recherches à la bibliothèque ou en consultant des sites Internet ;

▓ noter toutes ses idées et choisir celles qui seront retenues pour la rédaction ;

▓ dresser le plan de la rédaction en regroupant les idées selon qu'elles appartiennent au début, au milieu ou à la fin du texte ;

▓ consulter l'enseignant pour revoir le plan de sa rédaction.

Pendant – Rédaction de l'ébauche
Brouillon

À cette étape, l'élève doit :

▓ rédiger une première ébauche en suivant le plan dressé à l'étape de la planification ;

- diviser son texte en unités cohérentes ;

- choisir un vocabulaire approprié ;

- utiliser des marqueurs de relation et des organisateurs textuels ;

- consulter l'enseignant pour revoir l'ébauche de sa rédaction.

Révision

À cette étape, l'élève se demande si :

- l'introduction accroche le lecteur ;

- le texte se lit bien ;

- le vocabulaire est bien choisi ;

- les différentes parties du texte s'enchaînent de façon logique ;

- des inférences ou des expressions figurées agrémentent le texte ;

- les comparaisons et les métaphores sont utilisées correctement ;

- le texte se compose de différents types de phrases ;

- les caractéristiques de ce genre de texte ont été respectées ;

- l'enseignant a d'autres suggestions à faire au niveau de la qualité de la rédaction.

Correction

À cette étape, l'élève doit :

- vérifier la ponctuation, l'orthographe lexicale et l'emploi des majuscules ;

- vérifier la concordance des temps de verbe ;

- vérifier les accords avec les verbes « être » et « avoir » ;

- vérifier les accords en genre et en nombre ;

- avoir une dernière consultation avec l'enseignant.

Après – Publication

À cette étape, l'élève doit :

- choisir un mode de présentation convenant aux destinataires ;

- intégrer des éléments visuels et/ou sonores à sa présentation ;

- présenter oralement son texte de façon appropriée selon la demande de l'enseignant.

Les éléments d'écriture

Les éléments d'écriture qui contribuent à la qualité d'un texte et qui doivent se retrouver dans les rédactions des élèves font l'objet d'un enseignement explicite au même titre que les stratégies d'écriture. Nous présentons ces éléments ici afin d'indiquer où ils se situent dans le processus d'écriture et nous suggérons un questionnement pouvant amener le jeune rédacteur à identifier la présence ou l'absence des éléments d'écriture dans ses écrits. Un exemple de l'utilisation des éléments d'écriture est présenté au chapitre 4.

La structure et le choix des idées

Cet élément s'utilise au moment de la planification.

Exemples de questions :

■ Le sujet du texte est-il clair et précis ?

■ Les idées principales se distinguent-elles des idées secondaires ?

■ Y a-t-il suffisamment d'information au sujet des personnages et de la trame du récit ?

Le choix des mots, la fluidité des phrases et le style

Cet élément s'utilise au moment de la rédaction de l'ébauche.

Exemples de questions :

■ Le vocabulaire fait-il image ?

■ Les différents passages du texte se lisent-ils bien et s'enchaînent-ils avec cohérence ?

■ Le choix de mots et l'utilisation des métaphores confèrent-ils au texte un style personnel, humoristique ou formel ?

■ Le texte est-il original et intéressant ?

Les conventions linguistiques

Cet élément s'utilise au moment de la révision et de la correction.

Exemples de questions :

■ La ponctuation du texte favorise-t-elle une meilleure compréhension ?

■ Les marqueurs de relation sont-ils utilisés correctement ?

■ Les fautes d'orthographe lexicale et grammaticale ont-elles été corrigées ?

La publication

Cet élément s'utilise au moment de la publication du texte.

Exemples de questions :

■ Le texte est-il propre et bien disposé ?

■ Les éléments visuels apportent-ils un complément d'information ou nuisent-ils à la lecture du texte ?

■ L'apparence du texte retient-elle l'attention du lecteur ?

Les situations d'enseignement de l'écriture

Si les stratégies et les processus de lecture procurent à l'élève les capacités de gérer sa compréhension des textes lus, l'écriture, avec les stratégies et les processus qui lui sont propres, lui permet de traduire sa pensée sous forme écrite. En prenant conscience des moyens à sa disposition pour écrire un bon texte, l'élève peut se fixer, avec l'appui de l'enseignant, des objectifs d'écriture à sa portée. C'est dans ce sens qu'une insistance démesurée sur les conventions linguistiques peut décourager l'élève d'écrire, tout comme une insistance démesurée sur le décodage peut lui enlever le goût de lire. Or, la conscience phonologique, les orthographes

Figure 1.5 | **Les situations d'écriture**

Écriture
modelée

Écriture
partagée

Écriture
guidée

Écriture
autonome

approchées, l'enseignement du vocabulaire, l'étude de mots et l'application des conventions linguistiques, qui sont des activités normalement enseignées durant la deuxième période du bloc de littératie, sont d'excellentes occasions d'apprentissage susceptibles d'améliorer les productions écrites des élèves.

Les situations d'enseignement en écriture tracent le parcours de l'enseignement explicite des stratégies d'écriture et guident l'élève de façon logique et ordonnée vers la production d'un texte de qualité (*voir la figure 1.5*).

Les affiches relatives aux situations d'écriture et aux éléments d'écriture sont présentées sur le site Web (*voir les fiches reproductibles 1.66 à 1.72*).

L'écriture modelée

En écriture modelée, l'enseignant démontre sa créativité en écrivant un texte devant son groupe-classe. En voyant leur enseignant écrire, les élèves sont placés dans une situation d'écriture authentique et constatent qu'écrire peut être une activité agréable. Cependant, l'écriture modelée sert aussi à introduire une stratégie d'écriture. Dans pareil cas, en rédigeant son texte devant ses élèves, l'enseignant ne nomme pas la stratégie modelée, mais il verbalise sa pensée de façon à ce que l'utilisation de cette stratégie soit claire et facile à comprendre. Voici un exemple :

« Hier, j'ai écrit un texte que j'aimerais vous présenter. Il a pour titre *Les animaux en captivité*. Mais en le regardant aujourd'hui, je trouve qu'il manque d'idées intéressantes et que les phrases me semblent décousues. Comment pourrais-je améliorer mon texte ?

Si je prends la peine de revoir mon texte, je m'aperçois qu'il manque des détails au sujet de la vie des animaux dans les zoos. Je peux faire une recherche sur Internet et trouver des éléments d'information que je pourrais ajouter à mon texte.

J'aimerais aussi que mon texte se lise mieux. En revoyant ce que j'ai écrit, je constate qu'il n'y a pas de mots pour lier mes phrases et rendre la lecture plus fluide. Je vais consulter ma liste de mots outils : *puisque, lorsque, néanmoins, par ailleurs, car*. Lesquels de ces mots pourrais-je utiliser ? »

Le modelage effectué dans cet exemple démontre qu'il est possible de jumeler le plaisir d'écrire et l'introduction d'une stratégie d'écriture. Ces séances d'écriture modelée amènent graduellement les élèves à vouloir écrire eux aussi.

L'introduction d'une stratégie d'écriture lors d'une séance d'écriture modelée représente le Jour 1 du bloc de littératie en écriture. Comme pour la lecture, l'enseignement explicite d'une stratégie d'écriture s'étend sur 10 jours.

Possibilités d'évaluation de l'écriture modelée :

Les réactions, les commentaires et les questions des élèves durant la séance d'écriture modelée indiquent les connaissances acquises sur le sujet et servent d'évaluations diagnostiques pour l'apprentissage.

L'écriture partagée

L'écriture partagée est l'enseignement explicite d'une stratégie d'écriture et suit la même démarche que celle de l'enseignement d'une stratégie de lecture : le modelage, la pratique guidée, la pratique coopérative et la pratique autonome.

Pour le modelage (Jour 2 du bloc de littératie en écriture), l'enseignant doit :

- choisir la stratégie d'écriture à étudier ;

- nommer la stratégie d'écriture et refaire un modelage en utilisant le vocabulaire approprié ;

- expliquer en quoi consiste cette stratégie et pourquoi elle est importante ;

- remplir les colonnes « Quoi ? » et « Pourquoi ? » dans le gabarit d'enseignement explicite (*voir le chapitre 2*).

En reprenant l'exemple présenté précédemment, l'enseignant dirait :

> « Aujourd'hui, nous commençons l'étude de la stratégie d'écriture *Réviser pour améliorer son texte* et nous allons voir comment les marqueurs de relation peuvent améliorer la fluidité d'un texte. Nous allons vérifier s'il est possible d'ajouter des détails pour développer les idées principales et secondaires du texte. »

Pour la pratique guidée (Jour 3 du bloc de littératie en écriture), l'enseignant doit :

- choisir un texte qui convient à la stratégie ;

- expliquer au groupe-classe comment se servir de cette stratégie en faisant un modelage avec quelques élèves groupés devant la classe (technique de « l'aquarium ») ;

- aider les élèves à verbaliser leur processus de réflexion portant sur la stratégie à l'étude ;

- remplir la colonnes « Comment ? » dans le gabarit d'enseignement explicite en indiquant toutes les étapes qu'il faut suivre pour utiliser correctement la stratégie à l'étude (*voir le chapitre 2*).

Pour la pratique coopérative (Jour 4 du bloc de littératie en écriture), l'enseignant doit :

- choisir un nouveau texte ;

- expliquer à quel moment cette stratégie doit être utilisée ;

- dans un contexte d'enseignement réciproque, regrouper les élèves en dyades afin qu'ils appliquent la stratégie en se consultant et en s'aidant mutuellement ;

- accorder un temps d'objectivation afin que les dyades présentent le résultat de leur travail et les questions que les élèves pourraient se poser ;

- remplir la colonne « Quoi ? » dans le gabarit d'enseignement explicite en indiquant à quel moment cette stratégie peut être utilisée (*voir le chapitre 2*).

Pour la pratique autonome (Jour 5 et fin de la première semaine du bloc de littératie en écriture), l'enseignant doit :

- choisir un nouveau texte ;

- revoir la démarche d'application de la stratégie avec les élèves ;

- laisser les élèves appliquer la stratégie de façon individuelle en les encourageant à faire référence aux exercices qui ont été faits en classe durant la semaine ;

- recueillir le travail fait en pratique autonome afin d'organiser les groupes d'écriture guidée.

Possibilités d'évaluation de l'écriture partagée :

L'évaluation diagnostique effectuée durant la première semaine du bloc de littératie en écriture et l'évaluation formative du Jour 5 permettent de former les groupes d'écriture guidée qui travailleront avec l'enseignant dans un contexte d'enseignement différencié durant la deuxième semaine du bloc de littératie en écriture. Ces groupes seront de préférence « homogènes » selon leur niveau de performance à la suite de l'évaluation du Jour 5.

L'écriture guidée

En écriture guidée, l'enseignant fournit aux élèves le soutien nécessaire afin de consolider l'apprentissage d'une stratégie d'écriture. Dans un contexte de soutien différencié, les groupes s'approprient la stratégie selon leur rythme d'apprentissage.

Pour l'écriture guidée (Jours 6 à 10 du bloc de littératie en écriture), l'enseignant doit :

- différencier l'utilisation de la stratégie à l'étude pour chacun des groupes (longueur et complexité de la tâche) ;

- vérifier la progression des apprentissages.

Selon l'horaire préétabli, les élèves appartenant à un même niveau de performance se regroupent avec leur enseignant dans un coin de la classe aménagé pour l'écriture guidée pendant que les autres sont au travail dans les centres de littératie. Ces éléments d'enseignement sont présentés au chapitre 2.

Possibilités d'évaluation de l'écriture guidée :

Les travaux effectués dans les groupes d'écriture guidée servent d'évaluations formatives donnant lieu à des rétroactions positives et à des suggestions d'amélioration du rendement. Toutefois, même après une séance d'écriture guidée, certains élèves éprouvent encore de la difficulté à rédiger un texte ou à suivre l'une ou l'autre des étapes du processus d'écriture. Dans pareil cas, c'est à l'enseignant de définir l'aide supplémentaire à fournir à l'élève durant le temps de classe. Les activités de la deuxième période du bloc de littératie peuvent répondre à des besoins de ce genre.

L'écriture autonome

Tout comme la lecture autonome sert à intégrer les stratégies de compréhension en lecture, l'écriture autonome est la mise en application des stratégies d'écriture enseignées durant la première période du bloc de littératie. Les textes écrits par les élèves en relation avec une stratégie ou un élément d'écriture font l'objet d'entretiens d'écriture au moment de la période accordée à l'écriture autonome. Ces entretiens sont propices à l'évaluation diagnostique du progrès des apprentissages et ils se tiennent durant la deuxième période du bloc de littératie.

Bien qu'elle diffère de l'écriture autonome, il est tout de même possible que les élèves fassent de l'écriture « personnelle » tous les jours, par exemple en écrivant dans leur journal personnel ou en rédigeant un court texte de leur choix. Ces rédactions ne font pas l'objet d'évaluation de la part de l'enseignant ni d'entretiens d'écriture, mais il est néanmoins motivant pour l'élève de partager ses expériences d'écriture avec ses pairs et avec son enseignant.

Possibilités d'évaluation de l'écriture autonome :

En écriture autonome, l'enseignant peut choisir d'évaluer de façon formative chacune des étapes du processus d'écriture et réserver l'évaluation sommative pour la version finale du texte. Ce choix lui revient, car il est en mesure de décider ce qui convient le mieux pour son groupe-classe.

Le tableau 1.9 résume les objectifs des situations d'écriture et démontre la diminution de l'aide apportée à l'élève par l'enseignant. C'est le principe de l'étayage qui, étant élevé au début de l'apprentissage, diminue peu à peu pour amener l'élève à gérer ses connaissances de façon autonome.

À la suite de la lecture des sections de ce chapitre traitant de la lecture et de l'écriture, le lecteur est à même de constater les ressemblances entre les processus et les situations de lecture et d'écriture ; seules les stratégies diffèrent. Ces similitudes entre lecture et écriture rendent l'enseignement de la première période du bloc de littératie un peu plus facile et encadrent bien les élèves dans leurs apprentissages.

Cependant, les stratégies, les processus et les situations d'enseignement de la communication orale proposent des éléments différents et des approches beaucoup plus axées sur les besoins évidents des élèves en matière de compréhension et d'acquisition de la langue.

Tableau 1.9 | **Les objectifs des situations d'écriture**

Écriture modelée par l'enseignant	Écriture partagée par l'enseignant et avec l'aide des élèves	Écriture guidée par l'enseignant avec un petit groupe d'élèves	Écriture autonome par l'élève
Plaisir d'écrire	Enseignement explicite	Enseignement différencié	Démonstration des acquis
Introduction à la stratégie	Modelage et manipulation de la stratégie	Consolidation de la stratégie	Intégration/utilisation de la stratégie

La communication orale

Les stratégies de communication orale ciblant la prise de parole et l'écoute

La communication orale est au cœur de l'apprentissage et de la maîtrise d'une langue. Les francophones du Canada, dont plusieurs vivent en milieu minoritaire, ont besoin de compétences solides au niveau de la langue pour exprimer clairement leurs opinions, et pour comprendre et réagir correctement aux paroles qu'ils entendent. De ce fait, l'enseignement de la communication orale est la pierre angulaire de la littératie enseignée dans les écoles de langue française et dans les programmes d'immersion.

L'acquisition du vocabulaire par l'utilisation du mur de mots (Malette et Vinet, 2010 et 2013), par l'étude d'expressions figurées et de proverbes, par le regroupement de mots selon qu'ils sont des synonymes, des antonymes ou des homophones, représente des activités qui contribuent à l'amélioration de l'expression orale des élèves. Ces activités langagières doivent avoir lieu aussi souvent que possible durant le bloc de littératie, car elles ont un effet bénéfique sur l'apprentissage de la langue. Un meilleur bagage lexical améliore la compréhension en lecture ainsi que la qualité des textes écrits.

La communication orale se compose de deux volets : le volet expressif qu'est la prise de parole et le volet réceptif qu'est l'écoute. Afin de développer les compétences de l'élève, les stratégies élaborées en communication orale sont présentées en enseignement explicite selon les besoins du groupe-classe. Cela signifie que certaines stratégies nécessitent plus d'entraînement que d'autres, selon le milieu et l'environnement scolaire.

Pour les élèves de 6 à 8 ans (*voir le tableau 1.10*), les stratégies de communication orale enseignent aux jeunes locuteurs à parler clairement et avec respect, à employer des mots justes pour exprimer leurs pensées, et à utiliser une posture et des gestes appropriés au moment de livrer un message. Ces stratégies entraînent les élèves à être attentifs lorsque d'autres communiquent oralement et à se concentrer pour retenir les renseignements importants d'un message entendu.

De leur côté, les locuteurs de 9 à 11 ans apprennent à appuyer leurs présentations orales à l'aide d'arguments convaincants et bien structurés, et à établir un bon contact avec l'auditoire (*voir le tableau 1.10*). Au moment d'écouter une communication orale, ils s'exercent à comprendre le discours livré et y à réagir de façon appropriée.

Les communications orales formelles qui font l'objet d'une évaluation sommative afin de déterminer le rendement de l'élève dans cette matière utilisent un processus particulier que nous abordons un peu plus loin dans ce chapitre.

Le chapitre 5 présente un exemple d'enseignement explicite d'une stratégie de communication orale. Les stratégies de prise de parole et d'écoute énumérées dans le tableau 1.10 sont décrites à l'annexe D (*voir les fiches reproductibles 1.40 à 1.52*) et à l'annexe E (*voir les fiches reproductibles 1.53 à 1.64*).

Tableau 1.10 | **Les stratégies de communication orale**

Élèves de 6 à 8 ans (1ʳᵉ à 3ᵉ année)	Élèves de 9 à 11 ans (4ᵉ à 6ᵉ année)
Stratégies de prise de parole	
Je sais pourquoi je livre ce message.	Connaître l'intention de son message.
J'établis un contact avec mon auditoire.	Établir un contact avec son auditoire.
Je livre mon message selon les règles de la politesse.	Utiliser divers moyens techniques pour livrer son message.
Je contrôle ma voix.	
Je choisis une posture et des gestes appropriés.	
J'emploie les mots justes.	Rendre son message plus clair.
Je prépare et je répète ma présentation (communication orale formelle seulement).	Préparer et répéter sa présentation (communication orale formelle seulement).
J'ajoute des expressions faciales à mon message.	
Je contrôle ma voix.	
Stratégies d'écoute	
Je prends une position d'écoute et je fais preuve de politesse durant le message.	Faire preuve de politesse durant la présentation d'un message.
J'utilise mes connaissances personnelles pour comprendre le message.	Faire appel à ses connaissances personnelles pour comprendre un message.
Je trouve le sens du message.	Trouver le sens d'un message.
Je comprends les gestes et les expressions faciales du locuteur.	Comprendre le sens des gestes et du langage non verbal.
Je redis le message dans mes propres mots.	Prendre des notes durant un message.
J'exprime mon opinion au sujet du message.	Réagir à un message.

Source : adapté du MINISTÈRE DE L'ÉDUCATION DE L'ONTARIO (2008b).

Le processus de communication orale ciblant l'acquisition des compétences langagières

Le processus de communication orale est axé sur des activités langagières qui donnent la parole aux élèves et développent leurs habiletés d'écoute. Pour ce faire, les enseignants ont à leur disposition plusieurs stratégies de prise de parole et d'écoute (*voir le tableau 1.10 et les gabarits d'enseignement explicite, annexes D et E*) qui font l'objet d'un enseignement explicite et dont le processus, comme en lecture et en écriture, s'élabore à partir des étapes avant, pendant et après. L'avant détermine quelle stratégie est étudiée et pourquoi il est important de la connaître, et le pendant se concentre sur la démarche à suivre pour la comprendre et l'utiliser. L'après apporte des précisions quant au moment opportun de se servir de cette stratégie.

Figure 1.6 | **Le processus de communication orale**

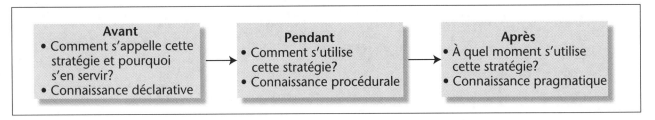

Avant	**Pendant**	**Après**
• Comment s'appelle cette stratégie et pourquoi s'en servir? • Connaissance déclarative	• Comment s'utilise cette stratégie? • Connaissance procédurale	• À quel moment s'utilise cette stratégie? • Connaissance pragmatique

Les situations d'apprentissage de la communication orale

En communication orale nous parlons de situations d'apprentissage plutôt que de situations d'enseignement. Grâce aux interactions verbales quotidiennes avec ses pairs et son enseignant, l'élève fait graduellement l'apprentissage des habiletés langagières dont il a besoin pour s'exprimer correctement en français. Les nombreuses occasions d'expression orale dont l'élève peut profiter durant la journée sont indispensables pour parfaire la langue parlée. Toutefois, l'enseignement des stratégies d'écoute et de prise de parole demeure important, et il doit cibler les besoins particuliers des élèves. Le temps en classe étant précieux, seules les stratégies indispensables à la progression des habiletés langagières des élèves sont enseignées de façon explicite. Des variables comme le milieu scolaire, la langue maternelle de l'élève et la langue le plus souvent parlée à la maison sont quelques indicateurs des stratégies de communication orale qui auront besoin, au moment opportun, d'être enseignées et exercées à partir de modelages et de pratiques guidées, coopératives et autonomes.

Dans la section qui suit, nous présentons les situations de prise de parole en communication orale ainsi que les situations évaluatives possibles.

L'interaction verbale quotidienne

L'interaction verbale définit le contexte informel des communications orales de l'élève durant sa journée à l'école. Les conversations aux heures de récréation, les discussions lors des activités de groupe et les entretiens avec l'enseignant sont autant d'occasions pour l'élève de s'exprimer selon ses capacités

Figure 1.7 | **Les situations de prise de parole en communication orale**

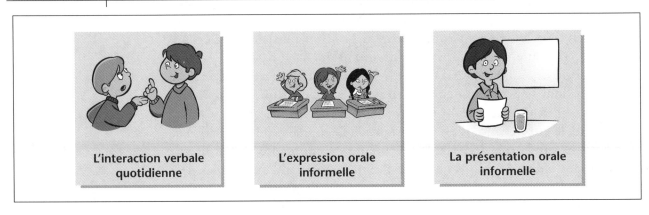

L'interaction verbale quotidienne	L'expression orale informelle	La présentation orale informelle

langagières. Vécues dans un climat de confiance et exemptes des commentaires réprimandant les infractions envers la langue, les activités d'interaction verbale permettent à l'élève de s'exprimer spontanément et d'apprendre à aimer la langue qu'il utilise quotidiennement. De ce fait, on doit privilégier une fréquence accrue des interactions verbales quotidiennes.

Possibilité d'évaluation de l'interaction verbale :

L'évaluation diagnostique accorde à l'enseignant la possibilité d'identifier les acquis de l'élève en matière de parole et d'écoute. À l'issue de ses observations, l'enseignant ajuste son enseignement explicite des stratégies de communication orale selon les besoins du groupe-classe.

L'expression orale informelle

Toujours dans un contexte informel et détendu, les activités d'expression orale donnent lieu à des activités ludiques qui plaisent aux élèves. Ainsi, lorsqu'elles se déroulent en équipes hétérogènes (réunissant des élèves avec des compétences différentes), des activités comme les théâtres de lecteurs, les improvisations, les nombreux jeux du mur de mots et les séances d'expression dramatique donnent aux élèves moins performants en communication orale la chance de côtoyer des camarades pouvant servir de modèles de locuteurs. Les activités d'expression orale se déroulent habituellement durant la deuxième période du bloc de littératie. Les élèves aiment ces activités et ils ont toujours hâte d'y participer.

Possibilité d'évaluation de l'expression orale :

L'évaluation formative s'utilise au moment des activités d'expression orale pour donner une rétroaction à l'élève quant à son utilisation de la langue et du vocabulaire et pour suggérer des exercices d'amélioration de son rendement.

La présentation orale formelle

Les compétences de l'élève en communication orale doivent être évaluées formellement au moins deux fois durant l'année scolaire. C'est donc en fonction d'une situation d'évaluation sommative que nous proposons la démarche de présentation orale dans un contexte formel. Les communications orales formelles peuvent porter sur n'importe quelle matière du curriculum ou du programme d'enseignement.

La démarche de présentation orale formelle tient compte de deux principes de base : acquérir de l'assurance pour s'exprimer devant ses pairs et démontrer une écoute attentive et respectueuse envers autrui. Comme pour toutes les stratégies, qu'elles soient en lecture, en écriture ou en communication orale, la démarche de présentation orale formelle s'enseigne explicitement. Les élèves ont alors la possibilité de s'exercer suffisamment avant d'être évalués formellement. La préparation, la planification, la révision, la répétition et la présentation sont les étapes du processus de communication orale dans un contexte formel que nous présentons ci-après (*voir la figure 1.8, page suivante*).

Les affiches relatives au processus et à la démarche de présentation orale formelle sont présentées sur le site Web (*voir les fiches reproductibles 1.73 à 1.77*).

Figure 1.8 | **Les étapes du processus de présentation orale formelle**

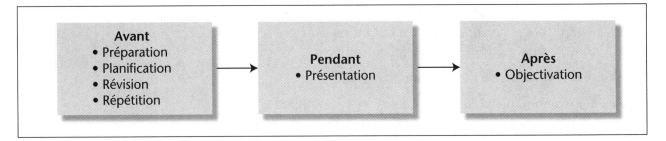

Avant

Pour la préparation, l'élève doit :

▪ trouver le sujet de sa présentation ;

▪ déterminer à qui s'adresse la présentation ;

Pour la planification, l'élève doit :

▪ trouver les idées et dresser le plan de sa présentation ;

▪ consulter l'enseignant et retenir les conseils offerts par celui-ci.

Pour la révision, l'élève doit :

▪ vérifier le vocabulaire et le type de phrases à utiliser (affirmatives, interrogatives, exclamatives) ;

▪ revoir l'organisation de la présentation (début-milieu-fin) ;

▪ revoir l'utilisation des accessoires et des éléments visuels.

Pour la répétition, l'élève doit :

▪ s'exercer avec un pair ou s'enregistrer et écouter sa présentation ;

▪ ajuster les gestes et le ton de la voix ;

▪ vérifier la longueur de la présentation selon le nombre de minutes exigées ;

▪ accepter les suggestions de l'enseignant et faire les modifications nécessaires.

Pendant

Pour la présentation, l'élève doit :

▪ exécuter sa présentation en respectant le temps accordé ;

▪ regarder l'auditoire durant la présentation ;

▪ consulter ses notes au besoin.

Après

Pour l'objectivation, l'élève doit :

▪ faire l'autoévaluation de sa présentation selon des critères déterminés au préalable par l'enseignant (par exemple : vocabulaire approprié, respect du temps) ;

- écouter et apprécier les commentaires constructifs de l'auditoire ;

- écouter et apprécier les recommandations de l'enseignant dans le but d'améliorer sa prochaine présentation.

Comme nous l'avons mentionné plus haut dans ce chapitre, les compétences de l'élève en communication orale formelle doivent être évaluées à quelques reprises durant l'année scolaire afin de lui accorder un niveau de réussite. Or, la présentation orale formelle amène l'élève à démontrer ses capacités de prise de parole et d'écoute devant un auditoire. Lorsqu'il présente un projet de sciences, le compte rendu d'un événement sportif ou la critique d'un texte qu'il a lu, l'élève fait valoir ses habiletés à communiquer un message et à apprécier les rétroactions qui lui sont fournies. La présentation orale formelle a lieu selon l'horaire de la matière qui lui est propre (par exemple : période de sciences ou d'études sociales, telles qu'elles apparaissent à l'horaire de la classe).

Possibilité d'évaluation de la présentation orale formelle :

La présentation orale formelle consiste à évaluer de façon formative et sommative la performance de l'élève en tant que locuteur et auditeur. Tout comme pour la lecture et l'écriture, cette évaluation sommative utilise une grille individualisée et elle est communiquée à l'élève et à ses parents dans le but d'établir les interventions nécessaires pour la prochaine étape.

Les chapitres 3, 4 et 5 présentent des exemples de grilles d'évaluation sommative en lecture, en écriture et en communication orale formelle.

Tout comme nous avons présenté les situations de prise de parole, voyons à présent les situations d'écoute et comment elles s'insèrent dans le développement des habiletés reliées à la communication orale.

Le traitement de l'information dans le contexte quotidien

Les mots pour s'exprimer clairement et la capacité de bien les comprendre sont deux compétences qui s'acquièrent au fur et à mesure que se développent les forces langagières de l'élève. Cependant, la qualité de l'écoute est particulièrement importante au moment de traiter l'information reçue. Que ce soit en salle de classe ou durant les pauses, les échanges entre élèves

Figure 1.9 | **Les situations d'écoute en communication orale**

Le traitement de l'information dans le contexte quotidien

L'écoute ludique

L'écoute attentive

La réaction à un message

durant leur journée à l'école ne sont pas toujours le reflet exact de leurs pensées et il arrive parfois que surgissent des désaccords par suite d'un manque d'écoute adéquate.

Le fait d'écouter attentivement et de réagir correctement à un message peut poser des défis pour les élèves dont le français n'est pas la langue maternelle ou pour ceux qui ne peuvent s'exprimer avec précision, faute d'un vocabulaire suffisant. Dans pareil cas, le dialogue et la réaction à un message deviennent difficiles. En observant ses élèves dans le contexte quotidien de la salle de classe ou de la cour de récréation, l'enseignant peut repérer assez facilement les élèves qui ont le plus besoin d'aide en termes d'écoute et d'interprétation, et déterminer les stratégies pédagogiques les plus appropriées en vue d'améliorer la qualité de leurs échanges. De cette évaluation diagnostique découlent des exercices d'écoute signifiants.

L'écoute ludique

Pour amener les élèves à prêter une oreille attentive aux propos de leur interlocuteur, il est possible de créer des jeux d'écoute ludique qui invitent les jeunes à tirer profit des gestes et de la voix de la personne qui leur parle. Des jeux de mimes, d'improvisations, de répétitions, de devinettes, d'exécution de directives et de partages d'expériences personnelles amusantes peuvent contribuer à améliorer l'écoute dans un environnement convivial, non punitif.

Quand elle prend la forme d'encouragements et de conseils de la part de l'enseignant, l'évaluation formative aide l'élève à identifier ses lacunes sur les plans de l'écoute et de la perception d'un message, et à voir comment les combler.

L'écoute attentive

L'écoute attentive est sans nul doute celle que l'élève doit utiliser le plus souvent durant son parcours scolaire. Il faut pour cela l'entraîner à se concentrer sur ce qui est dit. En prenant une position d'écoute confortable et en apprenant à mettre de côté des éléments comme le bruit ou le mouvement de ses camarades près de lui, l'élève en vient à pouvoir apprécier le sujet d'une lecture ou d'une présentation faite par son enseignant sans en «perdre le fil». C'est donc dire que l'enseignant a la responsabilité de captiver son auditoire dès le début d'une leçon et le devoir de maintenir un contact visuel avec les élèves tout au long de la lecture ou du discours qu'il leur fait. La réaction de l'élève dépend largement de sa motivation à se concentrer sur ce qui se passe et sur ce qui se dit, et à interpréter correctement les gestes et les expressions faciales de l'enseignant. Celui-ci lui servant de modèle, l'élève saura comment faire au moment où il aura lui-même un message à livrer. L'écoute attentive se prête elle aussi à l'évaluation formative en ce sens que l'enseignant peut déterminer la compréhension de l'élève par les questions posées et les commentaires ajoutés au sujet faisant l'objet de la discussion. À ce stade-ci, l'enseignant peut encore apporter des corrections qui sauront aider l'élève à saisir correctement le sens d'un message.

La réaction à un message

Pour réagir à un message, il faut d'abord l'avoir bien compris. Il faut en avoir saisi les nuances et les valeurs. Cette aptitude à comprendre et à faire part de ses impressions est primordiale pour la réussite de l'élève à l'école et plus tard dans sa vie d'adulte. C'est en apprenant à exprimer de manière appropriée ses sentiments et ses opinions à la suite d'un message entendu que l'élève s'intègre à la société qui l'entoure. En reconnaissant l'importance de prendre part aux discussions et de respecter les opinions des autres, l'élève fait graduellement l'apprentissage de la citoyenneté et de la démocratie. C'est dans ce but que l'enseignant dirige son groupe-classe dans des activités d'écoute suivies de discussions et de prises de position sur des sujets d'actualité.

Les présentations orales formelles, telles que nous les avons décrites précédemment se prêtent bien à l'évaluation sommative des compétences de l'élève à écouter et à réagir à un discours. Exposés, débats, présentations d'arguments, questions de clarification posées à l'interlocuteur témoignent de l'application des stratégies d'apprentissage de la communication orale efficace et de l'écoute attentive. Les tableaux 1.11 et 1.12 présentent respectivement les objectifs des situations de prise de parole et d'écoute en communication orale.

Tableau 1.11 | **Les objectifs des situations de prise de parole en communication orale**

Interaction verbale quotidienne des élèves entre eux	Expression orale informelle des élèves et avec l'aide de l'enseignant	Présentation orale formelle par l'élève
Communication orale fonctionnelle	Démonstration informelle des habiletés verbales	Démonstration formelle des habiletés verbales
Utilisation de la langue dans les discussions et les conversations quotidiennes	Utilisation de la langue dans les activités du groupe-classe où l'enseignant peut intervenir	Présentation orale formelle portant sur un sujet particulier

Tableau 1.12 | **Les objectifs des situations d'écoute en communication orale**

Traitement de l'information par l'élève dans le contexte quotidien	Écoute ludique de l'élève et avec l'aide de l'enseignant	Écoute attentive de l'élève et avec l'aide de l'enseignant	Réaction autonome et appropriée de l'élève à la suite d'un message entendu
Réaction spontanée à un message entendu	Démonstration informelle des capacités d'écoute	Démonstration formelle des capacités d'écoute	Démonstration des compétences d'écoute et de réaction à un message
Utilisation quotidienne du traitement de l'information	Utilisation de l'écoute dans un contexte de classe ludique et informel dans lequel l'enseignant peut intervenir	Utilisation de l'écoute dans un contexte de classe formel dans lequel l'enseignant peut intervenir	Utilisation de l'écoute et de la réaction à un message portant sur un sujet particulier

Les fondements théoriques des méthodes d'enseignement utilisées dans le bloc de littératie

Tout au long de ce chapitre, nous avons fait référence aux modèles d'enseignement utilisés dans le bloc de littératie:

■ l'enseignement explicite;

■ l'enseignement réciproque;

■ l'enseignement différencié.

Dans le but de rafraîchir les connaissances du lecteur, nous présentons maintenant quelques fondements théoriques qui sous-tendent les notions expliquées précédemment. Dans cette dernière partie du chapitre 1, les enseignants reconnaîtront les étapes du processus d'enseignement explicite (avant, pendant et après), ainsi que les particularités de l'enseignement réciproque et de l'enseignement différencié.

L'enseignement explicite a fait son entrée dans les écoles canadiennes au début des années 2000. Cette démarche d'enseignement a fait l'objet de recherches exhaustives dans le cadre d'études portant sur les méthodes les plus efficaces pour l'enseignement de la lecture (Palinscar et Brown, 1985; Pearson et Dole, 1987; Rosenshine, 1986). Connue à ses débuts sous le nom d'enseignement direct (Lehr, 1986), elle a été élaborée pour les écoles de langue française du Canada par Jocelyne Giasson (1990). Ce n'est que quelques années plus tard que le *National Reading Panel* (l'organisme fédéral américain mandaté en 1997 pour étudier comment améliorer le rendement des élèves en littératie) déclarait que l'enseignement explicite constitue le modèle le plus apte en vue de développer les compétences nécessaires pour la réussite en lecture.

Ce modèle d'enseignement, qui vise l'autonomie de l'élève en lecture, propose aux enseignants une approche largement axée sur des objectifs spécifiques. L'élève doit notamment construire le sens des textes à lire en utilisant des stratégies de compréhension et en faisant appel à des habiletés de décodage acquises au tout début de sa scolarité. L'enseignement traditionnel de textes présentés de façon magistrale, suivi des incontournables exercices de vérification et de recherche de la « bonne réponse », a cédé sa place à une pédagogie favorisant davantage l'acquisition par l'élève d'une meilleure compréhension en lecture.

Longtemps perçue comme une activité souvent peu motivante consistant à décoder des mots et des syllabes, la lecture est devenue un processus cognitif de réflexion et de questionnement qui engage l'élève de façon dynamique et active dans l'acte de lire. Freebody et Luke (1992) décrivent l'activité de l'élève en littératie comme un constant cheminement entre le décodage, la construction de sens, la reconnaissance des caractéristiques du texte et l'analyse critique des textes lus. Pour que l'élève arrive à réaliser toutes les étapes de ce processus, l'enseignant se doit de mettre en œuvre les composantes de l'enseignement explicite afin de donner vie à l'acquisition des compétences en littératie.

Puisque ce modèle d'enseignement qui vise l'acquisition des compétences en lecture est utilisé par de nombreux enseignants pour le bloc de littératie, prenons le temps d'en examiner quelques éléments distinctifs.

Les caractéristiques de l'enseignement explicite

Le rôle de l'enseignant

Comme premier élément définissant l'enseignement explicite, Giasson (1990) explique que le travail de l'enseignant est d'abord et avant tout celui d'un accompagnateur. Celui-ci guide l'apprentissage de la compréhension par des démonstrations pertinentes des différentes stratégies de compréhension en lecture. Il soutient également l'élève lors de ses premières tentatives, permet la discussion entre pairs et accorde une attention particulière aux différents besoins du groupe-classe. L'enseignement explicite fait donc appel à une série d'explications ordonnées selon une séquence logique et bien structurée. Cette fonction explicative de l'enseignement (Giasson, 1990) occupe une large part du temps accordé au bloc de littératie, car elle est nécessaire pour amener l'élève à s'approprier la responsabilité d'apprendre et de comprendre. L'évaluation régulière de la progression des apprentissages de l'élève s'avère indispensable avec ce modèle d'enseignement. Nous en parlons plus loin.

Les processus métacognitifs

Une deuxième caractéristique de l'enseignement explicite porte sur l'autonomie de l'élève grâce à l'utilisation de processus métacognitifs. Ces processus font appel aux habiletés utilisées par l'élève pendant la lecture. Ils se produisent simultanément et permettent un va-et-vient continu entre la «reconnaissance des mots, l'identification de l'information explicite et implicite, la réparation des bris de compréhension, l'imagerie mentale, l'application des connaissances personnelles sur le sujet, l'interprétation et la réaction émotive au texte» (Giasson, 1990, p. 16). Lorsque l'élève maîtrise la connaissance des processus métacognitifs, il devient, du même coup, contrôleur et régisseur de sa compréhension en lecture. L'entraînement de l'élève à utiliser ces processus devient donc une des grandes priorités de l'enseignement explicite.

Les connaissances

Le troisième élément figurant parmi les caractéristiques de l'enseignement explicite est celui de l'application des trois types de connaissances nécessaires à la compréhension et à la réalisation d'une tâche (Giasson, 1990). Celles-ci regroupent les connaissances dites :

- «déclaratives» – ce que l'élève sait déjà sur le sujet du texte à lire ;
- «procédurales» – ce que l'élève sait faire pour comprendre le texte à lire ;
- «conditionnelles (pragmatiques)», qui habilitent l'élève à reconnaître quand et pourquoi utiliser tel processus ou telle stratégie.

Ces connaissances sont indispensables à la compréhension d'un texte. Elles s'enseignent et s'appliquent à tous les genres de textes.

Les stratégies

Une dernière caractéristique de l'enseignement explicite, mais non la moindre, est l'enseignement des stratégies de compréhension en lecture. Pour que l'élève puisse s'approprier la compréhension des textes qu'il doit lire, celui-ci doit apprendre à :

- identifier son intention de lecture (pourquoi je lis ?) ;

- faire des prédictions et les vérifier tout au long de sa lecture (est-ce que mes prédictions sont justes ?) ;

- utiliser la structure du texte pour soutenir sa compréhension (quelle sorte de texte est-ce ?) ;

- réparer la perte de compréhension par un emploi judicieux des stratégies de compréhension (quelle stratégie puis-je utiliser pour mieux comprendre ce texte ?).

La structure de l'enseignement explicite

Les étapes

McLaughlin et Allen (2010) définissent l'enseignement explicite comme un « cadre pédagogique viable, constitué d'étapes distinctes ». Jocelyne Giasson (1990), pour sa part, en propose cinq que nous reprenons ici de façon succincte afin d'en dégager les éléments les plus pertinents. Ces étapes de l'enseignement explicite qui s'appliquent à l'enseignement des stratégies de lecture sont les mêmes pour l'enseignement des stratégies d'écriture et de communication orale.

- Étape 1 : Définir la stratégie et préciser son utilité

  D'abord commencer par nommer la stratégie choisie.
  (Exemple : *Trouver l'ordre chronologique.*)

  Puis en donner une courte définition dans un langage approprié aux élèves afin qu'ils comprennent en quoi consiste cette stratégie.
  (Exemple : *Trouver l'ordre chronologique*, c'est déterminer l'ordre dans lequel les événements surviennent dans une histoire.)

  Ensuite, expliquer pourquoi cette stratégie est utile.
  (Exemple : *Trouver l'ordre chronologique* t'aide à comprendre à quel moment se produit tel ou tel événement dans l'histoire – au début, au milieu ou à la fin.)

- Étape 2 : Rendre le processus transparent

  Expliquer en des termes clairs ce qui se passe dans la tête du lecteur durant l'utilisation d'une stratégie de lecture. L'enseignant fait la démonstration (le modelage) pendant que les élèves observent.
  (Exemple : Je ne sais pas ce que veut dire le mot « oreillons ». Je vais regarder dans le texte pour trouver des indices m'aidant à comprendre ce mot. Je peux chercher un mot que je connais dans le nouveau mot. Dans le mot « oreillons » il y a le mot « oreille ». Je peux remplacer le nouveau mot par un mot que je connais et qui pourrait avoir du sens. Le mot « oreille » peut remplacer « oreillons ». Si je lis plus loin dans le texte, on parle de symptômes permettant d'identifier les « oreillons ». « Oreillons » doit donc être le nom d'une maladie qui a un certain rapport avec la région des oreilles.)

- Étape 3 : Interagir avec les élèves et les guider vers la maîtrise de la stratégie

Par l'entremise de modelages, d'activité en dyades ou de travail en petits groupes, donner le temps aux élèves de s'exercer avec la stratégie et d'expliquer comment elle peut aider à comprendre un texte.
(Exemple : Quelques modelages de la stratégie sont faits devant la classe, puis en dyades. Les élèves appliquent la stratégie enseignée en s'aidant mutuellement.)

- Étape 4 : Favoriser l'autonomie dans l'utilisation de la stratégie

Demander aux élèves d'appliquer la stratégie de façon autonome à partir d'un texte choisi par l'enseignant. Par la suite, discuter en grand groupe des difficultés rencontrées.
(Exemple : Les élèves appliquent la stratégie, seuls et sans aide, en s'inspirant des démarches et des exemples vus en classe les jours précédents.)

- Étape 5 : Assurer l'application de la stratégie

Encourager les élèves à utiliser la stratégie enseignée dans leurs lectures personnelles et indiquer quand ou à quel moment une stratégie peut aider à la compréhension d'un texte.
(Exemple : À quel moment serait-il important d'utiliser cette stratégie ?)

Le fonctionnement de l'enseignement explicite

Articulé autour des étapes avant, pendant et après, l'enseignement explicite des stratégies se déroule comme suit :

- Le Jour 1, l'avant présente le contenu et les objectifs de la séance d'enseignement. Ce sont les étapes « Quoi ? » et « Pourquoi ? » de l'étude d'une stratégie.

- Du Jour 2 au Jour 5, le pendant est réservé à l'enseignement explicite en tant que tel (le modelage de l'enseignant, la pratique guidée faite par l'enseignant et les élèves, la pratique coopérative faite en dyades et la pratique autonome faite par l'élève seul). C'est le « Comment ? » de la démarche d'enseignement d'une stratégie.

- L'après regroupe l'objectivation et les échanges au sujet des apprentissages réalisés. (Par exemple : à quel moment cette stratégie doit-elle être utilisée ?) C'est le « Quand ? » de la leçon.

Figure 1.10 | **La démarche d'enseignement explicite**

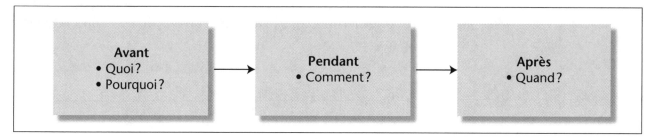

L'apport de l'enseignement réciproque

Les fondements de l'enseignement réciproque proposés par Palinscar et Brown (1985) apportent un supplément d'aide à l'enseignement explicite des stratégies en lecture, écriture et communication orale. L'échange des idées, la discussion, le questionnement et le retour sur les textes lus sont les attributs de l'enseignement réciproque. Or, la pratique coopérative qui a lieu durant le pendant de l'enseignement explicite permet l'expression d'opinions et l'application des nouvelles stratégies. En pratique coopérative, les apprenants cherchent, résument, expliquent et clarifient le déroulement de leur travail. En d'autres mots, lorsque le groupe-classe est en situation de pratique coopérative, il fait aussi l'expérience de l'enseignement réciproque. Cette pratique nécessite un encadrement solide mais, si elle est bien utilisée, elle rend possible des apprentissages pertinents et motivants, et entraîne les élèves à travailler de façon différente avec des partenaires différents.

Au moment de faire travailler son groupe-classe en pratique coopérative, il est important que l'enseignant connaisse bien ses élèves et qu'il sache regrouper les apprenants qui fonctionnent bien ensemble. Cela ne veut pas dire qu'il doit réunir des élèves du même style d'apprentissage ou de la même force, mais plutôt des élèves dont les personnalités et les intérêts sont compatibles. Il est donc intéressant de varier les jumelages aussi souvent que possible durant l'année scolaire.

L'apport de l'enseignement différencié

L'enseignement d'une stratégie ne s'arrête pas à la fin du processus d'enseignement explicite, car l'élève a besoin de temps pour bien intégrer ses nouvelles connaissances. Le bloc de littératie offre un soutien à l'élève par l'entremise d'un enseignement différencié qui sait répondre à ses besoins. Ce temps d'enseignement différencié a lieu durant les Jours 6 à 10 du bloc de littératie.

Tomlinson (2004) explique que «la carte routière d'apprentissage de chaque élève est unique». C'est donc avec la conviction que chaque élève peut réussir que l'enseignant met en place un enseignement de qualité, explicite et différencié, qui tient compte des défis de tous. Reconnaissant le principe que les élèves ont tous des points communs mais aussi des différences essentielles (Tomlinson, 2004), l'enseignant utilise divers textes pour l'enseignement des stratégies, rassemble en groupes homogènes les élèves ayant les mêmes besoins et travaille avec eux les éléments jugés les plus importants pour leur apprentissage. Il ajuste le contenu de son enseignement en identifiant ce que les élèves doivent savoir et comprendre. Il varie les travaux afin que les élèves puissent s'approprier correctement les nouveaux savoirs et évalue régulièrement le progrès de ses élèves.

Nous ne traiterons pas davantage de l'enseignement réciproque et de l'enseignement différencié puisque ces modèles d'enseignement ont déjà fait leurs preuves et que de nombreux ouvrages leur ont été consacrés. Il nous faut par contre souligner que l'enseignement explicite n'est véritablement efficace que lorsqu'il s'appuie sur des interventions pédagogiques qui tiennent compte des différents styles d'apprentissage des élèves. Les modèles d'enseignement réciproque et différencié sont de taille à soutenir l'autonomie des élèves dans leur apprentissage de la réussite en littératie. Nous reprenons la place qu'ils occupent dans le bloc de littératie, dans les chapitres suivants.

> Les composantes du bloc de littératie s'apprivoisent avec le temps; les efforts consentis pour les connaître et se les approprier stimulent la qualité de notre enseignement.

Chapitre **2**

La planification et la gestion du bloc de littératie

« L'aptitude à lire et à écrire ne se développe pas naturellement sans une planification et un enseignement soignés. »

UNESCO, 1998.

Maintenant que les assises théoriques sont établies, examinons les composantes essentielles de la planification et de la gestion du bloc de littératie. Dans le présent chapitre, nous répondons aux questions suivantes :

■ Quels éléments faut-il mettre place pour assurer une gestion efficace du bloc de littératie ?

■ Que doivent considérer les enseignants au moment de planifier le bloc de littératie ?

■ Comment la première période du bloc de littératie se déroule-t-elle ?

■ Quelles sortes d'activités peuvent avoir lieu durant la deuxième période du bloc de littératie ?

Afin de bien saisir les composantes du bloc de littératie, observons dans le tableau 2.1 la démarche d'enseignement explicite propre à la première période du bloc d'enseignement (les savoirs) et les nombreuses possibilités que réserve la deuxième période (les savoir-faire et les savoir-être). Le tableau 1.1 (*voir page 4*) reprend en détail les contenus du bloc de littératie.

À la suite de l'examen de ce tableau, nous sommes en mesure de concevoir clairement ce que représente le bloc d'enseignement en littératie et nous pouvons apprécier toute l'importance d'une planification soignée pour obtenir des résultats performants.

Nous avons regroupé en trois sections distinctes les composantes du bloc de littératie que nous décrivons dans le présent chapitre, à savoir les éléments de mise en œuvre, le déroulement de la première période et les activités pouvant faire l'objet de la deuxième période.

Les éléments de mise en œuvre du bloc de littératie

Cette section traite :

■ des règles et des routines de la classe ;

■ de l'horaire ;

Tableau 2.1 | **Les composantes du bloc de littératie**

Première période du bloc de littératie Acquisition de connaissances: les savoirs	Deuxième période du bloc de littératie Application de connaissances: les savoir-faire et les savoir-être
• Enseignement explicite d'une stratégie de compréhension de lecture ou d'écriture à partir d'un texte prescrit	• Discussions • Présentations • Débats • Partages d'expériences de vie
• Consolidation et démonstration des apprentissages	• Plaisir de lire • Plaisir d'écrire • Plaisir de s'exprimer
• Évaluations formatives et sommatives	• Évaluations diagnostiques et formatives

■ de l'aménagement de la salle de classe;

■ des centres de littératie.

Le déroulement de la première période du bloc de littératie

Cette section traite:

■ du choix des stratégies à enseigner explicitement;

■ du choix des textes à utiliser;

■ des stratégies évaluatives à privilégier;

■ de l'ordre séquentiel des séances d'enseignement durant le bloc de littératie.

Les activités faisant l'objet de la deuxième période du bloc de littératie

Cette section traite:

■ des activités d'apprentissage à **caractère formel**, dont:

– la lecture autonome;

– l'écriture autonome.

■ des activités d'apprentissage à **caractère ludique**, dont:

– les murs de mots.

Ce chapitre s'achève avec la répartition des blocs de littératie durant l'année scolaire.

L'objectif ultime du bloc de littératie étant la réussite de l'élève, l'unique but des explications et des suggestions qui suivent est de faciliter la préparation et l'application des 120 minutes consacrées quotidiennement à l'enseignement de la littératie.

Les éléments de mise en œuvre du bloc de littératie

Les règles et les routines de la classe

La gestion du bloc de littératie exige une solide gestion de classe. Ces deux éléments sont inséparables. Ainsi, dès le début de l'année, il est important de définir les règles et les routines de la classe, et de discuter avec les élèves du comportement souhaité durant une journée scolaire. Lorsque les élèves peuvent participer à la rédaction du « code de vie » de la classe, ils sont fiers de voir leurs idées et leurs suggestions faire partie de l'ensemble des règles qui encadrent leur qualité de vie à l'école. Le dialogue est toujours préférable à l'imposition de règlements dont les élèves ne comprennent pas toujours le sens. Les routines affichées sur un mur de la classe ou placées dans les cahiers des élèves s'avèrent le point de départ d'une saine gestion d'un groupe-classe, que ce soit pendant le bloc de littératie ou non.

Il est possible d'ajouter d'autres règles concernant plus directement le bloc de littératie, telles les consignes associées au fonctionnement de la lecture et de l'écriture autonome ou encore les directives touchant les centres de littératie. Ces consignes et directives ont toujours un lien avec le code de vie de la classe et les élèves se les approprient facilement (*voir la figure 2.1*).

Il est important d'ajouter que, pour mettre toutes les chances de leur côté, les enseignants devraient se donner une période d'entraînement avant de commencer les blocs de littératie. Ainsi, en début d'année, il est fortement recommandé de laisser aux élèves le temps de s'adapter aux routines de la classe et du bloc de littératie. Ils pourront ainsi s'habituer graduellement aux exigences de ce modèle d'enseignement. Le temps consacré à apprivoiser le bloc de littératie n'est jamais perdu. Au contraire, il permet un fonctionnement beaucoup plus harmonieux lorsqu'arrive le moment de démarrer pour de bon l'enseignement explicite, réciproque et différencié des stratégies reliées aux compétences en littératie.

Figure 2.1 | **Un exemple de code de vie**

Le code de vie de notre classe
- J'écoute attentivement les consignes.
- Je respecte l'avis des autres et j'attends mon tour pour parler.
- Je parle doucement et je m'exprime poliment.
- Je travaille de mon mieux.
- Si j'ai besoin d'aide, je demande l'avis de l'élève qui est près de moi ; je fais de la recherche dans un livre de référence ou je consulte mon enseignant, selon sa disponibilité.
- En tout temps, je marche calmement dans la classe.

L'horaire

Comme nous l'avons mentionné dans le chapitre 1, la durée d'un bloc de littératie est de 120 minutes. L'horaire de la classe et les services offerts par l'école (arts, musique, danse, éducation physique, laboratoire d'informatique, etc.) devraient graviter autour de ce temps d'enseignement.

Les temps de préparation ou de rencontres professionnelles doivent aussi, dans la mesure du possible, ne pas entrer en conflit avec le bloc de littératie. Cela dit, les pauses et les récréations peuvent avoir lieu durant le bloc de littératie, mais préférablement entre la première et la deuxième période de 60 minutes.

Les réalités sont cependant différentes pour tous. Lorsqu'il s'avère impossible d'avoir un bloc de littératie ininterrompu, il faut tâcher de regrouper des périodes d'enseignement permettant au moins 60 minutes de travail continu en littératie et planifier une deuxième période de 60 minutes ailleurs durant la journée.

Il est donc important de pouvoir compter sur la collaboration de tout un chacun dans une école afin de permettre aux blocs de littératie de s'insérer dans les horaires des enseignants. En tenant compte que les plus jeunes apprennent mieux le matin et les plus grands, l'après-midi, il y a peut-être là une manière d'accommoder les horaires du personnel enseignant.

Nous proposons dans les tableaux 2.2, ci-dessous, et 2.3, à la page suivante, des exemples d'horaires pour le bloc de littératie.

Tableau 2.2	Un exemple d'horaire pour un bloc de littératie ayant lieu le matin (élèves de 6 à 8 ans)
Heure	**Jours 1 à 10**
8 h 15	Entrée des élèves
8 h 30	**Bloc de littératie, première période de 60 minutes : enseignement explicite**
9 h 30	Pause santé à l'intérieur de la classe
9 h 40	**Bloc de littératie, deuxième période de 60 minutes : activités à caractère formel ou ludique**
10 h 40	Récréation à l'extérieur
10 h 45	Bloc de numératie (100 minutes)
12 h 10	Dîner
13 h 00	Période d'enseignement de 40 minutes
13 h 40	Période d'enseignement de 40 minutes
14 h 20	Préparatifs pour le départ / Pause santé
14 h 35	Autobus

L'aménagement de la salle de classe

L'organisation de la salle de classe est primordiale au bon fonctionnement du bloc de littératie. Un local propre et bien rangé, qui invite au calme et au plaisir d'apprendre, est important pour l'autonomie des élèves, leur engagement et leur motivation à réussir. C'est donc aux enseignants de savoir créer un milieu où il fait bon vivre et s'instruire.

En ce qui concerne le mobilier, les aires de travail et les espaces de rangement, il faut prévoir la possibilité d'effectuer des aménagements variés selon les besoins qui découlent des diverses situations d'enseignement. L'encadré de la page suivante présente ce que l'on trouve généralement dans une salle de classe.

Tableau 2.3	Un exemple d'horaire pour un bloc de littératie ayant lieu l'après-midi (élèves de 9 à 11 ans)

Heure	Jours 1 à 10
9 h 00	Entrée des élèves
9 h 15	Période d'enseignement de 40 minutes
9 h 55	Bloc de numératie (100 minutes)
11 h 40	Récréation à l'extérieur
11 h 55	Période d'enseignement de 40 minutes
12 h 35	Dîner
13 h 25	**Bloc de littératie, première période de 60 minutes : enseignement explicite**
14 h 35	Pause santé
14 h 45	**Bloc de littératie, deuxième période de 60 minutes : activités à caractère formel ou ludique**
15 h 45	Préparatifs pour le départ

Quelques exemples d'aménagement d'une salle de classe

- Des pupitres pouvant servir au travail individuel (pratique autonome et évaluation sommative) et au travail en dyade (pratique coopérative).

- Des tables pour les activités de groupe (lecture et écriture guidée, centres de littératie).

- Un coin pour la lecture autonome (la bibliothèque de classe et les sacs de lecture).

- Un coin de rassemblement pour l'animation d'activités durant la deuxième période du bloc de littératie.

- Un espace de rangement (décors, accessoires pour la lecture aux élèves et articles pour les centres de peinture, de bricolage et autres).

- Un coin pour la recherche informatique et les outils de référence (écriture autonome).

- Des babillards pour afficher les murs de mots, les référentiels et l'horaire de la journée.

- Un mur pour le tableau interactif.

- Un espace de travail pour l'enseignant.

Les centres de littératie

Que sont les centres de littératie ?

Les centres de littératie permettent à l'enseignant de recourir à l'enseignement différencié avec des petits groupes d'élèves réunis selon leur niveau d'autonomie en littératie. Ces centres ont lieu durant les semaines de lecture et d'écriture guidée (Jour 6 à Jour 10 du bloc de littératie) et doivent être soumis à une gestion de classe appropriée. Ce faisant, les élèves peuvent travailler consciencieusement et de façon autonome à des tâches différenciées de lecture ou d'écriture pendant que l'enseignant s'occupe d'un groupe nécessitant son aide et son attention.

De plus, il est important de retenir que les centres de littératie sont le prolongement des apprentissages effectués en enseignement explicite. Ils permettent aux élèves d'appliquer les stratégies de lecture et d'écriture, et de consolider ainsi leurs compétences de lecteurs et de scripteurs.

Les centres de littératie servent aussi à transposer les nouvelles connaissances dans d'autres domaines du programme d'études. Par exemple, l'analyse d'une lecture en sciences ou le résumé d'un texte d'histoire ou de géographie pourrait faire l'objet d'un centre de littératie.

Les occasions d'utiliser les compétences récemment acquises en littératie dans divers exercices de lecture et de rédaction placent l'élève en situation authentique d'application des nouveaux apprentissages et favorisent son autonomie.

> Les centres de littératie ne doivent pas être confondus avec les centres d'activités qui regroupent des stations de bricolage, de peinture, de théâtres de marionnettes, de jeux d'équipes ou autres. Les centres d'activités sont d'excellentes occasions de développer les habiletés sociales et langagières de l'élève, et peuvent se dérouler en tout temps durant la journée (hors du temps accordé au bloc de littératie). Les centres d'activités permettent à l'élève de faire des choix et de travailler selon ses intérêts et ses capacités, et on devrait privilégier leur utilisation. Les centres de littératie, quant à eux, ont une fonction quelque peu différente.

Avant de commencer les centres de littératie

Il est clair que les centres de littératie exigent une solide gestion des éléments qui les composent. C'est donc dire qu'avant de se mettre en chantier, il importe que les enseignants s'intéressent à leur fonctionnement. Certains aspects pouvant donner l'impression d'être plus complexes que d'autres, nous suggérons de procéder par étape.

Pour chaque point mentionné dans la présente section, le lecteur trouvera plus loin dans ce chapitre des explications pertinentes ou des exemples pouvant être reproduits.

Comment s'organisent les centres de littératie ?

Tout d'abord, il faut :

- déterminer le nombre de centres requis pour la classe (3 centres pour les classes de 20 à 24 élèves, 4 pour les classes de plus de 24 élèves) ;

- avec l'aide des jeunes, trouver un nom accrocheur pour chaque groupe d'élèves qui travailleront dans les centres (par exemple : Les chercheurs, Les explorateurs, Les défricheurs, Les pionniers, *voir la fiche reproductible 2.5 sur le site Web*).

Ensuite, il faut :

- prévoir le matériel dont les élèves auront besoin (textes, outils de référence, référentiels, affiches) et un espace de rangement pour ce matériel ;

- préparer et afficher dans la classe un tableau de programmation décrivant l'horaire de rotation des centres pour la semaine ;

- mettre une feuille de route à la disposition des élèves afin qu'ils connaissent les travaux à faire et à quel moment les faire ;

- préparer la fiche de consignes pour les comportements attendus ;

- élaborer une fiche d'autoévaluation que l'élève devra remplir à la fin du temps accordé aux centres de littératie.

Enfin, il faut :

- réserver un temps d'objectivation à la fin de chaque session afin d'effectuer un retour sur les apprentissages, permettant ainsi aux élèves d'apprécier leurs progrès et de discuter des améliorations à apporter à leur travail ;

- utiliser une fiche d'observation diagnostique pour noter un ou plusieurs aspects du travail des élèves en centres de littératie ;

- s'assurer de toujours expliquer ou modeler les activités de littératie à réaliser dans les centres afin que les élèves comprennent bien ce qu'ils doivent faire, limitant ainsi les interruptions au temps consacré à l'enseignement guidé/ différencié ;

- revoir régulièrement les règles et les routines qui traitent des comportements attendus (ton de la voix, circulation dans la classe, demande d'aide) ;

- pour les classes à niveaux multiples, procéder de la même manière (différencier les activités dans les centres et répartir le temps réservé à l'enseignement guidé de façon à travailler avec tous les niveaux) ;

- en tout temps, s'accorder une période d'entraînement et de familiarisation.

Selon notre expérience des centres de littératie, le meilleur conseil que nous pouvons donner est de procéder graduellement ; les premières journées, il vaut mieux éviter de tout faire en même temps. Comme le conseille le dicton : « Un jour à la fois ».

Les différentes composantes des centres de littératie

Voici les composantes que nous présentons en détail dans les pages qui suivent :

▤ la détermination du nombre de centres requis ;

▤ la formation des groupes ;

▤ l'horaire de rotation des centres de littératie et les niveaux combinés ;

▤ le tableau de programmation et la feuille de route de l'élève ;

▤ les trousses pour les centres de littératie ;

▤ la fiche de consignes pour les centres de littératie ;

▤ la fiche d'autoévaluation de l'élève ;

▤ la fiche d'observation diagnostique de l'enseignant ;

▤ des suggestions d'activités pour les centres de littératie.

La détermination du nombre de centres requis C'est le nombre d'élèves dans la classe qui détermine le nombre de centres de littératie à former. Une classe de 20 à 24 élèves peut assez facilement s'accommoder de 3 centres de littératie réunissant chacun 5 ou 6 élèves. Dans pareil cas, on pourrait créer :

▤ un centre de lecture ou d'écriture reliée à la stratégie à l'étude ;

▤ un centre pour le mur de mots ;

▤ un centre de lecture ou d'écriture choisie par l'enseignant.

Pour les classes de plus de 24 élèves, il faut ajouter un centre de littératie au tableau de programmation. Le groupe-classe aurait donc :

▤ un centre de lecture ou d'écriture reliée à la stratégie à l'étude ;

▤ un centre pour le mur de mots ;

▤ un centre de lecture ou d'écriture choisie par l'enseignant ;

▤ un centre de grammaire ou d'études de mots.

Nous avons mentionné au chapitre 1 qu'un bloc de littératie se déroule sur une période de 10 jours. La première semaine (Jour 1 à Jour 5) est réservée à l'enseignement partagé. La deuxième semaine (Jour 6 à Jour 10) se concentre sur l'enseignement guidé et les centres de littératie. La correction des travaux faits dans les centres de littératie a lieu le Jour 10.

Nous reprenons plus loin dans ce chapitre la séquence des situations d'enseignement. Retenons pour le moment que les centres de littératie n'ont pas lieu tous les jours, mais plutôt lors de la deuxième semaine du bloc de littératie. Ils sont d'une durée de 60 minutes, au même titre que les séances d'enseignement guidé. Bien que cette période puisse paraître un peu longue pour les élèves plus jeunes, le temps passe assez vite lorsque l'on considère les éléments qui suivent.

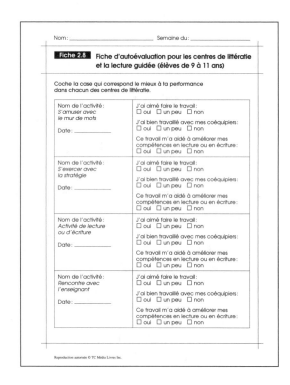

Fiche 2.6 Un exemple de fiche de consignes pour les centres de littératie

Consignes pour les centres de littératie

- Je respecte le code de vie de la classe.
- J'ajuste le volume de ma voix selon la situation.
- J'évite les déplacements inutiles dans la classe.
- Je travaille individuellement, sinon je demande de l'aide à un ou une élève près de moi.
- Je ne dérange pas mon enseignant qui est en enseignement guidé et je ne lui pose pas de question.
- Si j'ai terminé mon travail, je prends un livre et je fais de la lecture personnelle.

AVANT

▨ 10 minutes pour revoir les consignes et les routines des centres de littératie (*voir la fiche reproductible 2.6 sur le site Web*).

▨ 10 minutes pour permettre aux élèves de s'installer dans les centres qui leur sont assignés et pour revoir la feuille de route (*voir les exemples d'horaires de rotation, tableaux 2.4 et 2.5, page 51, et de feuille de route, tableau 2.6, page 54*).

PENDANT

▨ 20 minutes pour l'enseignement guidé comme tel.

APRÈS

▨ 10 minutes pour l'objectivation et pour remplir la fiche d'autoévaluation du travail fait dans les centres de littératie (*voir la fiche reproductible 2.7 sur le site Web*). Les étapes sont les mêmes pour les élèves plus vieux mais, comme l'avant prend un peu moins de temps, il est possible de se consacrer plus longuement à l'enseignement guidé (40 minutes) (*voir la fiche reproductible 2.8 sur le site Web*).

La formation des groupes Nous avons présenté au chapitre 1 la nécessité de former des centres de littératie pour les semaines de lecture et d'écriture guidée. Ces centres de littératie sont constitués à partir de l'évaluation formative du Jour 5. L'enseignant aura donc déterminé le niveau de performance de l'élève en fonction des normes établies. Ces niveaux de performance sont les suivants (Ministère de l'Éducation de l'Ontario, 2006):

▨ **Niveau 1**: élève dont le résultat indique un **rendement inférieur à la norme** de réussite;

- **Niveau 2** : élève dont le résultat indique un **rendement se rapprochant de la norme** de réussite ;

- **Niveau 3** : élève dont le résultat indique un **rendement correspondant à la norme** de réussite ;

- **Niveau 4** : élève dont le résultat indique un **rendement supérieur à la norme** de réussite.

Lors de rencontres en enseignement guidé, l'enseignant tient compte de la stratégie à l'étude pour préparer :

- un travail de compréhension (Niveaux 1 et 2) ;

- un travail de consolidation (Niveau 3) ;

- un travail d'enrichissement (Niveau 4).

Les groupes d'enseignement guidé étant **homogènes** (comportant des élèves du même niveau de performance), il va de soi que les centres de littératie le sont aussi. Si toutefois les enseignants le désirent, il est possible d'avoir des centres de littératie constitués de groupes **hétérogènes** (réunissant des élèves dont les besoins diffèrent).

Nous proposons les deux modèles d'organisation des centres de littératie aux figures 2.2, ci-dessous, et 2.3, à la page 49. À la lumière de notre expérience

---

Figure 2.2 | **Un exemple de centres de littératie homogènes**

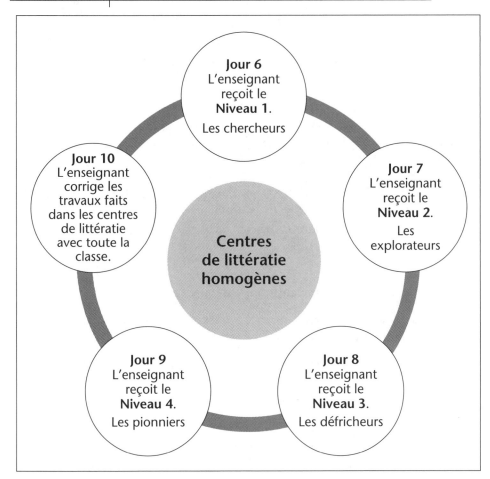

en salle de classe, nous recommandons de privilégier le modèle de centres de littératie homogènes. Néanmoins, il revient à l'enseignant de décider ce qui répond le mieux aux besoins de son groupe-classe.

La figure 2.2 démontre que les centres de littératie sont homogènes :

- du lundi au jeudi, l'enseignant reçoit les groupes de lecture guidée selon l'horaire établi et les noms choisis pour les identifier ;
- du lundi au jeudi, les élèves travaillent sur les mêmes tâches dans les centres de littératie, mais celles-ci correspondent à leur niveau.

L'avantage de ce modèle de fonctionnement est que l'enseignant reçoit les groupes à tour de rôle pendant que le reste de la classe travaille dans le respect des règles et des routines établies pour les centres de littératie. Il y a donc une bonne interaction entre les élèves qui font les mêmes activités.

L'inconvénient de ce modèle est que les activités doivent être différenciées pour chacun des centres.

Remarque : la différenciation ici se limite à la longueur et à la complexité de la tâche. L'exemple qui suit l'illustre bien.

Tâche de lecture pour un centre de littératie :
Relever les différences et les ressemblances dans un texte

- **Niveau 1** : à partir de l'information **explicite** du texte, relever les ressemblances et les différences physiques des personnages de l'histoire : âge, grandeur, poids, cheveux, yeux, dents, vêtements, etc.

- **Niveau 2** : à partir de l'information **explicite** du texte, relever les ressemblances et les différences personnelles des personnages de l'histoire : caractère, talents, habitudes, etc.

- **Niveau 3** : à partir de l'information **explicite et implicite** du texte, relever les ressemblances et les différences des conditions de vie des personnages de l'histoire.

- **Niveau 4** : à partir de l'information **explicite et implicite** du texte, relever les ressemblances et les différences des problèmes et des défis auxquels font face les personnages de l'histoire.

La figure 2.3 indique que les centres de littératie sont hétérogènes :

- du lundi au jeudi, l'enseignant reçoit les groupes de lecture guidée selon l'horaire établi et les noms choisis pour les identifier ;
- du lundi au jeudi, les élèves travaillent à des tâches différenciées et de différents niveaux pendant que le reste de la classe travaille dans le respect des règles et des routines concernant les centres de littératie.

L'avantage de ce modèle de fonctionnement est que les élèves des niveaux 3 et 4 aident au besoin les élèves des niveaux 1 et 2 dans la réalisation des travaux. Les élèves interagissent ainsi entre eux dans le respect des différences.

Figure 2.3 | **Un exemple de centres de littératie hétérogènes**

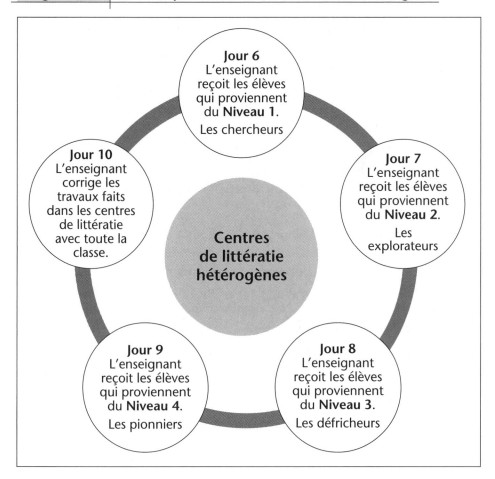

Les inconvénients de ce modèle de fonctionnement sont les suivants :

- il y a plus de bruit et de va-et-vient dans la classe lorsque les élèves de chacun des centres se rendent en lecture ou en écriture guidée ;

- bien que les tâches soient différenciées, les travaux ne peuvent être terminés en même temps (par exemple : le Jour 6, lorsque l'enseignant rencontre les élèves du Niveau 1, ceux-ci ne peuvent terminer le travail à effectuer dans le centre de littératie pour le Jour 6 et doivent le faire à un autre moment) ;

- lorsque les élèves d'un même niveau laissent leurs camarades pour se rendre en enseignement guidé, il arrive parfois qu'il ne reste que deux ou trois élèves dans l'équipe, ce qui modifie la dynamique du groupe. La motivation n'est plus la même et le travail risque d'être de moindre qualité.

Lorsqu'arrive le Jour 10 et que vient le moment de corriger les travaux effectués dans les centres de littératie, c'est encore à l'enseignant qu'il appartient de choisir la meilleure manière de procéder. Les tâches étant différentes, celles-ci peuvent être revues par toute la classe au moyen du tableau interactif ou annotées de façon individuelle. Il est toujours souhaitable de varier les façons de faire.

Enfin, il faut se donner du temps pour que les centres de littératie fonctionnent « à l'unisson ». Les enseignants, après mûre réflexion, doivent décider quelle sera la composition des centres de littératie et comment se fera le déroulement de l'enseignement guidé dans leur classe.

L'horaire de rotation des centres de littératie et les niveaux combinés Lors de la mise en œuvre des centres de littératie, un horaire de rotation doit être affiché dans la classe et disposé de façon que les élèves puissent le voir facilement et être au courant du déroulement de leur semaine. Chaque groupe doit connaître le jour qui lui est réservé pour la rencontre en enseignement guidé et être informé des travaux à faire durant les autres jours de la semaine.

À titre d'exemple, nous présentons deux horaires de rotation pour les centres de littératie (*voir les tableaux 2.4 et 2.5*). Le premier est celui d'une classe de 20 à 24 élèves et le deuxième, celui d'une classe de plus de 24 élèves.

Pour une classe de plus de 24 élèves, on doit ajouter un cinquième groupe pour l'enseignement guidé et ce groupe doit combiner deux niveaux. Par exemple, l'enseignant pourrait décider d'avoir deux groupes du Niveau 1 ou encore de jumeler un groupe du Niveau 3 avec un groupe du Niveau 4. De cette façon, les niveaux ont à peu près le même nombre d'élèves, soit cinq à six élèves par groupe, et demeurent assez homogènes.

Les élèves faisant partie d'un groupe combiné (Niveaux 2 et 3, par exemple) suivent le même horaire de rotation pour les centres de littératie durant la semaine de lecture guidée. Lorsqu'arrive le moment de la rencontre avec l'enseignant, celui-ci peut différencier la longueur et la complexité des textes à lire et des questions auxquelles les élèves doivent répondre afin d'appliquer correctement la stratégie étudiée.

Les tâches reliées aux centres de littératie sont, quant à elles, distribuées selon le niveau des élèves. Ce qui signifie que les élèves du Niveau 2 du groupe combiné font les mêmes travaux que les autres élèves du Niveau 2 de la classe. Il en serait de même pour ceux du Niveau 3. L'essentiel est que les apprenants reçoivent le même temps d'enseignement différencié et participent aux centres de littératie au même titre que les autres, mais à leur niveau.

La correction des travaux effectués en centres de littératie se fait le Jour 10 (première période du bloc de littératie) pour les classes de 20 à 24 élèves. Par contre, pour les classes comptant plus de 24 élèves, la correction est reportée à la deuxième période du bloc de littératie du Jour 10.

Un exemple d'horaire d'un élève du Niveau 1

Toutes les tâches sont adaptées au Niveau 1, sauf l'activité portant sur le mur de mots, qui convient à tous les niveaux.

- Lundi : lecture guidée avec l'enseignant

- Mardi : activité portant sur le mur de mots

- Mercredi : activité associée à la stratégie de lecture à l'étude

- Jeudi : activité de lecture au choix de l'enseignant

- Vendredi : correction des travaux faits dans les centres de littératie et possibilité d'évaluation sommative

Tableau 2.4 **Un horaire de rotation des centres de littératie en lecture (classe de 20 à 24 élèves)**

	Lundi Jour **6** du bloc de littératie	Mardi Jour **7** du bloc de littératie	Mercredi Jour **8** du bloc de littératie	Jeudi Jour **9** du bloc de littératie	Vendredi Jour **10** du bloc de littératie
Niveau 1	**Lecture guidée**	S'amuser avec le mur de mots	S'exercer avec la stratégie	Activité de lecture	**Correction** des travaux faits en centres de littératie ↓ Possibilité d'**évaluation sommative** de la stratégie à l'étude
Niveau 2	Activité de lecture	**Lecture guidée**	S'amuser avec le mur de mots	S'exercer avec la stratégie	
Niveau 3	S'exercer avec la stratégie	Activité de lecture	**Lecture guidée**	S'amuser avec le mur de mots	
Niveau 4	S'amuser avec le mur de mots	S'exercer avec la stratégie	Activité de lecture	**Lecture guidée**	

Tableau 2.5 **Un horaire de rotation pour les centres de littératie en écriture (classe de plus de 24 élèves)**

	Lundi Jour **6** du bloc de littératie	Mardi Jour **7** du bloc de littératie	Mercredi Jour **8** du bloc de littératie	Jeudi Jour **9** du bloc de littératie	Vendredi Jour **10** du bloc de littératie
Niveau 1	**Écriture guidée**	Étude de mots	S'amuser avec le mur de mots	S'exercer avec la stratégie	Activité d'écriture
Niveau 2	Activité d'écriture	**Écriture guidée**	Étude de mots	S'amuser avec le mur de mots	S'exercer avec la stratégie
Niveaux combinés 2 et 3	S'exercer avec la stratégie	Activité d'écriture	**Écriture guidée**	Étude de mots	S'amuser avec le mur de mots
Niveau 3	S'amuser avec le mur de mots	S'exercer avec la stratégie	Activité d'écriture	**Écriture guidée**	Étude de mots
Niveau 4	Étude de mots	S'amuser avec le mur de mots	S'exercer avec la stratégie	Activité d'écriture	**Écriture guidée**

Un exemple d'horaire d'un élève du Niveau combiné (2 et 3)

Toutes les tâches sont adaptées aux Niveaux 2 et 3 sauf pour l'activité avec le mur de mots qui convient à tous les niveaux.

- Lundi : activité associée à la stratégie d'écriture à l'étude
- Mardi : activité d'écriture n'ayant aucun lien avec la stratégie à l'étude
- Mercredi : écriture guidée avec l'enseignant
- Jeudi : étude de mots
- Vendredi : activité portant sur le mur de mots

Le tableau de programmation et la feuille de route de l'élève Les deux modèles d'horaires de rotation que nous venons de présenter démontrent la nécessité d'afficher dans la classe un tableau de programmation indiquant aux élèves le nom de leur groupe et le nom de l'activité qu'ils doivent faire (*voir la figure 2.4*). Ces éléments peuvent être écrits sur des cartons que l'enseignant déplace chaque jour, durant la semaine où ont lieu les centres de littératie. Il est possible d'utiliser le TBI pour présenter l'horaire quotidien des centres ou de se servir de pochettes de nylon comme celles de la figure 2.5.

Il est important d'afficher ce tableau de programmation chaque fois que l'on commence les centres de littératie afin que les élèves sachent exactement où ils doivent aller et ce qu'ils doivent faire. Ils peuvent également se servir de leur feuille de route puisque celle-ci reprend les explications données par l'enseignant, à savoir le nom des centres, le matériel dont les élèves ont besoin et les directives pour faire le travail en centre de littératie ou avec l'enseignant. Nous présentons ici un exemple de feuille de route pour les centres de littératie (*voir le tableau 2.6, page 54*), mais il y a en d'autres dans les chapitres 3 et 4.

| Figure 2.4 | **Des tableaux de programmation pour les centres de littératie homogènes** |

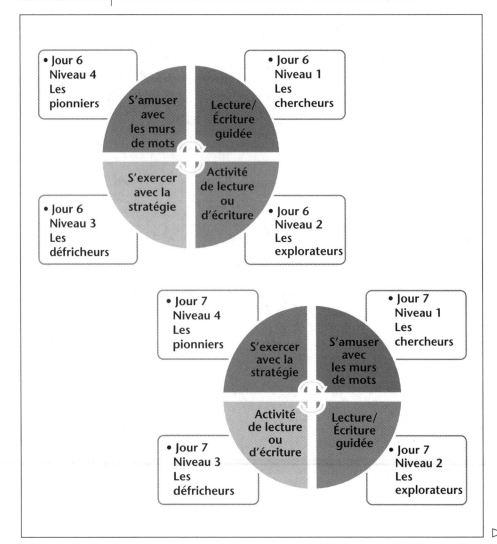

Figure 2.4

Des tableaux de programmation pour les centres de littératie homogènes (*suite*)

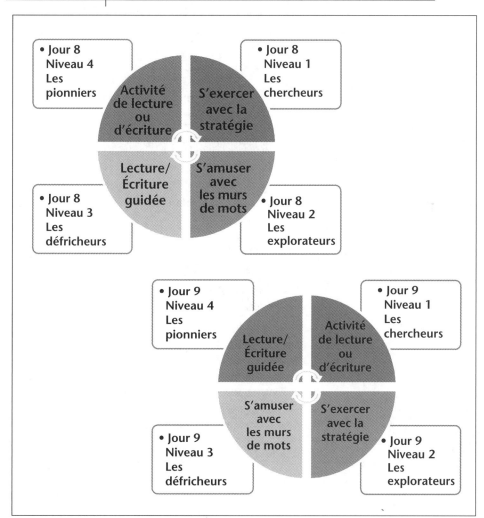

Figure 2.5 | Des tableaux de programmation pour les centres de littératie

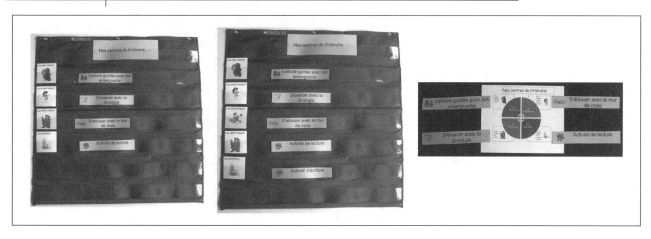

Nom : _____

Semaine du : _____

Stratégie à l'étude : _____

Travaux à faire (à modifier selon l'âge)

Travaux à exécuter	Matériel requis et directives
Je m'amuse avec le mur de mots. *Les mots classés* Pour cette activité, les élèves doivent avoir une liste d'environ 10 à 15 mots provenant du mur de mots et une fiche divisée en 5 colonnes : • les mots que l'on peut manger, p. ex. : *laitue* ; • les mots qui sont de couleur verte, p. ex. : *grenouille* ; • les mots qui sont des verbes, p. ex. : *jouer* ; • les mots de trois syllabes, p. ex. : *cé/le/ri* ; • les mots qui sont des moyens de transport, p. ex. : *avion*. 	**Ce dont tu as besoin :** • les mots du mur de mots ; • la fiche divisée en 5 colonnes ; • ton crayon et ta gomme à effacer. **Marche à suivre :** • d'abord, relis les mots du mur de mots ; • puis, classe-les par catégorie ; • ensuite, écris-les dans les bonnes colonnes ; • échange ta feuille avec l'élève à ta droite ; • compare sa copie à la tienne et discutez de vos réponses ; • maintenant invente cinq autres catégories pour classer les mots et refais le même exercice ; • place ta feuille dans ton *portfolio pour les centres de littératie* lorsque tu as terminé.
Je m'exerce avec la stratégie. *Je me fais une image dans la tête* Pour cette activité les élèves doivent avoir un court texte ou récit selon le choix de l'enseignant. Les textes seront différents pour chacun des centres (homogènes) de littératie afin de respecter le niveau d'autonomie des élèves en lecture. 	**Ce dont tu as besoin :** • le texte distribué par ton enseignant ; • une feuille lignée à trois trous ; • ton crayon et ta gomme à effacer. **Marche à suivre :** • d'abord, fais la lecture du texte ; • puis, choisis une partie de l'histoire que tu aimes et écris ce que tu vois dans ta tête lorsque tu lis ce passage ; • tu peux faire un dessin, si tu veux ; • ensuite, sur ta feuille lignée, décris le personnage principal de cette histoire ; • compare ton travail avec celui de l'élève à ta gauche ; • place ta feuille dans ton *portfolio pour les centres de littératie* lorsque tu as terminé.

▷

| Tableau 2.6 | Un exemple de feuille de route pour les centres de littératie (classe de 20 à 24 élèves) *(suite)* |

Travaux à exécuter	Matériel requis et directives

Activité de lecture
Lire et réagir à un texte
Pour cette activité, les élèves doivent réagir à un texte de façon personnelle.
	Ce dont tu as besoin:
	• ton livre de bibliothèque;
	• une feuille lignée à trois trous;
	• ton crayon et ta gomme à effacer.
	
	Marche à suivre:
	• d'abord, lis un ou deux chapitres de ton livre de bibliothèque;
	• puis, réponds aux questions qui suivent en justifiant tes réponses:
	  – Comment te sentirais-tu à la place du personnage principal?
	  – Que ferais-tu de différent si tu étais le personnage principal de cette histoire?
	• place ta feuille dans ton *portfolio pour les centres de littératie* lorsque tu as terminé.

Je suis en lecture guidée avec mon enseignant.	**Ce dont tu as besoin:** • ton cahier *Moi et les stratégies de lecture*; • ton crayon et ta gomme à effacer. **Marche à suivre:** • tu participes à la discussion avec ton enseignant en ce qui concerne la stratégie présentement à l'étude; • tu collabores avec tes coéquipiers pour faire le travail demandé par ton enseignant.

Les trousses pour centres de littératie Tous les élèves n'auront probablement pas toujours en main le matériel nécessaire pour effectuer le travail dans les centres de littératie. À titre de suggestion, nous présentons des exemples de trousses qui sont bien utiles pour les élèves qui oublient parfois d'apporter tout ce dont ils ont besoin pour faire leur travail dans les centres ou pour venir en enseignement guidé. En les plaçant sur les tables ou pupitres réservés aux centres de littératie, on préserve le calme de la classe (aucun élève ne se déplace pour aller récupérer ce qu'il a oublié dans son pupitre ou son espace personnel de rangement) et le travail s'effectue dans l'harmonie. Un portfolio intitulé *Mon portfolio pour les centres de littératie* est idéal pour ranger les travaux des élèves et pour effectuer les évaluations diagnostique et formative.

Voici le matériel à placer dans les trousses de chaque centre de littératie:

- crayons, gomme à effacer, taille-crayon, crayons à colorier, ciseaux, bâtons de colle;

- matériel pour l'activité avec les murs de mots;

- feuilles reproductibles (au besoin) pour le travail portant sur la stratégie ;

- feuilles reproductibles (au besoin) pour le travail d'écriture ;

- livres et feuilles reproductibles pour l'activité de lecture ;

- dictionnaires ou autres outils de référence ;

- cahier, cartable ou portfolio pour ranger les travaux faits en centres de littératie.

La fiche de consignes, la fiche d'autoévaluation de l'élève et la fiche d'observation diagnostique de l'enseignant Les fiches reproductibles 2.6 à 2.9 (*voir le site Web*) représentent quelques-uns des outils indispensables au bon fonctionnement des centres de littératie. Ils sont, en quelque sorte, des instruments de mesure qui permettent de déterminer la valeur du travail et le progrès des apprentissages de l'élève, tout en posant un regard évaluatif sur l'ensemble des centres de littératie et la gestion de classe qui les accompagne.

Lors des rencontres avec les parents, avec les enseignants-ressources ou les responsables des services d'interventions personnalisées, les enseignants doivent être en mesure de dresser un profil de classe et d'utiliser des exemples de travaux pour identifier les besoins particuliers de tel ou tel élève. Les activités réalisées en centres de littératie sont certainement utiles lorsqu'il s'agit d'orienter les discussions portant sur l'amélioration du rendement de l'élève.

C'est dans ce sens que nous proposons une fiche de consignes (*voir la fiche reproductible 2.6 sur le site Web*), deux fiches d'autoévaluation de l'élève en centres de littératie (*voir les fiches reproductibles 2.7 et 2.8 sur le site Web*), ainsi qu'une fiche d'observation diagnostique pour l'enseignant (*voir la fiche reproductible 2.9 sur le site Web*).

Des suggestions d'activités pour les centres de littératie Quand vient le temps de préparer les centres de littératie, les enseignants sont parfois à court de temps pour créer des activités à la fois intéressantes et différenciées. C'est pourquoi nous encourageons le travail d'équipe et le partage des ressources. Entre enseignants, il faut savoir s'aider.

Les exemples d'activités que nous proposons ici sont reliés aux tâches habituelles réalisées dans les centres de littératie :

- s'amuser avec le mur de mots ;

- s'exercer avec la stratégie à l'étude ;

- faire une activité de lecture ou d'écriture au choix de l'enseignant ;

- étudier des mots (classes de plus de 24 élèves).

Cependant, plusieurs activités à effectuer dans les centres de littératie sont placées à l'annexe F (*voir les fiches reproductibles 2.1 à 2.3*).

En voici quelques modèles (*voir la fiche 2.10 sur le site Web*).

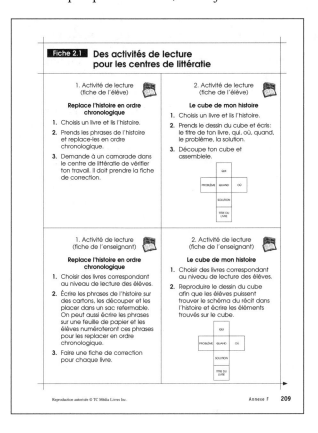

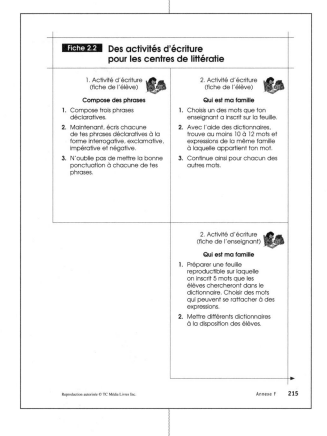

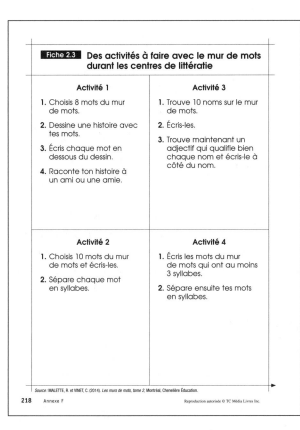

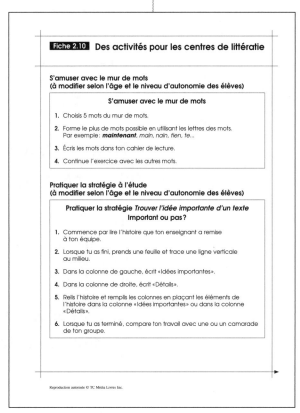

Récapitulatif

| Tableau 2.7 | La marche à suivre pour les centres de littératie |

Composante	Dans l'ouvrage
Déterminer le nombre de centres requis et, avec l'aide des élèves, trouver un nom pour les groupes qui travailleront dans les centres.	La détermination du nombre de centres requis (*voir page 45*) La formation des groupes (*voir page 46*)
Donner aux élèves l'horaire de rotation des centres ainsi qu'une feuille de route décrivant chacune des activités à faire dans les centres, durant la semaine.	Tableaux 2.4, 2.5 et 2.6 (*voir pages 51 et 54*)
Afficher un tableau de programmation dans la classe.	Figures 2.4 et 2.5 (*voir pages 52 et 53*)
Expliquer ou modeler les activités de littératie à réaliser.	Tableau 2.6 (*voir page 54*)
Prévoir le matériel dont les élèves ont besoin (textes, outils de référence, référentiels, affiches).	Les trousses pour centres de littératie (*voir page 55*)
Revoir les routines et les consignes concernant les comportements attendus (ton de la voix, circulation dans la classe, demande d'aide).	Fiche reproductible 2.6 (*voir le site Web*)
Demander aux élèves de remplir leur fiche d'autoévaluation et de faire une objectivation quotidienne quand ils ont terminé leur travail au centre de littératie afin qu'ils puissent faire part de leur impressions.	Fiches reproductibles 2.7 et 2.8 (*voir le site Web*)
Remplir régulièrement la feuille de route des enseignants.	Fiche reproductible 2.9 (*voir le site Web*)
Avoir un cahier intitulé *Mon portfolio pour les centres de littératie* dans lequel ranger les documents, fiches, et feuilles de travail reliés aux centres de littératie.	*Mon portfolio pour les centres de littératie* (*voir page 55*)

Le déroulement de la première période du bloc de littératie

La première période du bloc de littératie est réservée à l'enseignement explicite des stratégies de lecture, d'écriture et de communication orale. Même si nous élaborons des modèles précis aux chapitres 2, 3 et 4, voici un canevas décrivant la structure et le déroulement de l'enseignement d'une stratégie, quelle qu'elle puisse être.

Premier élément de planification : le choix de la stratégie à enseigner

Tout programme d'enseignement qui a pour objectif le développement des compétences de l'élève en littératie cible en début de parcours des attentes particulières. Par exemple, une attente en lecture pourrait être *l'utilisation de la connaissance de l'écrit et des stratégies de lecture pour construire le sens des textes lus.*

Pour atteindre ce résultat ou répondre à cette attente, l'élève doit acquérir plusieurs concepts reliés à la compréhension en matière de lecture, dont l'utilisation des stratégies de compréhension. Il en est de même pour les stratégies d'écriture, et celles d'écoute et de prise de parole en communication orale.

Au moment de planifier la première tranche du bloc de littératie, l'enseignant doit utiliser intelligemment le profil de classe réalisé au début de l'année scolaire afin de déterminer les points forts et les défis de ses élèves en littératie. En connaissant bien son groupe-classe, l'enseignant arrive à choisir judicieusement les stratégies à enseigner et à trouver réponse à des questions, comme :

■ Quelles stratégies de lecture permettront à l'élève de mieux comprendre les textes prescrits pour l'année en cours ?

■ De quelles stratégies d'écriture les élèves ont-ils besoin pour pouvoir parfaire leurs connaissances et améliorer leurs compétences en écriture ?

■ De quelles stratégies de communication orale les élèves ont-ils besoin pour pouvoir s'entraîner à écouter et à communiquer efficacement ?

Le choix d'une stratégie à enseigner dépend de l'âge ou des besoins du groupe-classe. Par cela, nous entendons qu'il est pertinent d'enseigner toute stratégie dont le besoin se fait sentir. Prenons l'exemple de la stratégie de lecture *Anticiper*. Celle-ci est habituellement enseignée aux élèves de 6 à 8 ans, mais il arrive que des élèves plus vieux ne la connaissent pas. Si tel est le cas, l'enseignant se doit de l'enseigner en adaptant le contexte d'enseignement aux besoins de sa classe. L'élève a besoin de connaître plusieurs stratégies de lecture pour devenir un bon lecteur. C'est pourquoi on lui enseigne celles dont il a besoin. C'est dans ce sens que le classement des stratégies de littératie selon l'âge des apprenants n'est pas restrictif, la priorité de l'enseignant étant de répondre aux besoins du groupe-classe.

Ceci dit, nous présentons tout de même une cartographie des stratégies de lecture et d'écriture (*voir les tableaux 2.8 à 2.11, ci-contre et pages suivantes*) susceptible d'aider le personnel enseignant à planifier son choix des stratégies à enseigner et, de ce fait, à harmoniser l'enseignement explicite des nombreuses stratégies que l'élève doit connaître et retenir d'une année à l'autre. La communication orale étant imbriquée dans l'enseignement quotidien des stratégies de lecture et d'écriture, nous n'avons pas développé de cartographie pour ce domaine.

Tableau 2.8	Un exemple de cartographie pour l'enseignement des stratégies de lecture (élèves de 6 à 8 ans)
Niveau	**Stratégies à enseigner**
1re année – 6 ans	• Je reconnais les sons. • Je lis les mots globalement. • J'anticipe et je fais des prédictions.
2e année – 6 ans	**Revoir les stratégies enseignées l'année précédente et ajouter :** • J'anticipe et je fais des prédictions. • Je me fais une image dans la tête. • Je lis par groupes de mots. • Je trouve le sens d'un mot nouveau.
3e année – 7 et 8 ans	**Revoir les stratégies enseignées l'année précédente et ajouter :** • Je reconnais les mots de substitution. • Je trouve l'ordre chronologique. • Je trouve le sujet du texte. • Je reconnais la structure d'un récit. • Je comprends les expressions figurées et le sens des messages dans un texte.

Tableau 2.9	Un exemple de cartographie pour l'enseignement des stratégies de lecture (élèves de 9 à 11 ans)

Niveau	Stratégies à enseigner
4e année – 9 ans	**Revoir les stratégies enseignées l'année précédente et ajouter:** • Anticiper et prédire. • Se faire une image. • Trouver les idées importantes d'un texte.
5e année – 10 ans	**Revoir les stratégies enseignées l'année précédente et ajouter:** • Faire appel à ses connaissances personnelles. • Se poser des questions. • Vérifier sa compréhension. • Apprécier un texte.
6e année – 11 ans	**Revoir les stratégies enseignées l'année précédente et ajouter:** • Comprendre les inférences. • Savoir comment prendre des notes. • Résumer un texte. • Faire une synthèse.

Tableau 2.10	Un exemple de cartographie pour l'enseignement des stratégies d'écriture (élèves de 6 à 8 ans)

Niveau	Stratégies à enseigner
1re année – 6 ans	• Je fais appel à ce que je sais déjà. • **Processus d'écriture:** – Je dicte mon histoire à mon enseignant et j'illustre mon histoire.

2e année – 6 ans	**Revoir les stratégies enseignées l'année précédente et ajouter:**
	• **Processus d'écriture:**
	  – Je décide pourquoi et pour qui j'écris ce texte.
	  – Je planifie et j'organise mes idées.
	  – Je rédige une ébauche.
	  – Je vérifie l'orthographe lexicale et grammaticale.
	  – Je prépare la version finale de mon texte.

3e année – 7 et 8 ans	**Revoir les stratégies enseignées l'année précédente et ajouter:** • Je cherche des informations sur le sujet de ma rédaction. • Je révise la structure de mon texte. • Je modifie mon texte pour l'améliorer.

Deuxième élément de planification: le choix des textes à utiliser

Afin de répondre adéquatement aux attentes reliées à l'acquisition des compétences en littératie, l'enseignant doit porter une attention particulière au choix des textes qui conviennent le mieux aux besoins des élèves. Ayant en

Tableau 2.11	Un exemple de cartographie pour l'enseignement des stratégies d'écriture (élèves de 9 à 11 ans)

Niveau	Stratégies à enseigner
4e à 6e année – 9 à 11 ans	**Processus d'écriture :** • Cibler l'intention d'écriture, les destinataires et le type de texte. • Faire appel à ses connaissances antérieures. • Chercher des informations sur le sujet. • Dresser un plan. • Rédiger une ébauche. • Réviser la structure de son texte. • Réviser pour améliorer son texte. • Vérifier l'orthographe lexicale et grammaticale. • Préparer son texte pour la publication.

tête la stratégie à enseigner et les exigences des différents niveaux d'autonomie des élèves, l'enseignant choisit des textes de littérature jeunesse variés et motivant autant les garçons que les filles.

L'enseignement d'une stratégie de lecture nécessite au moins quatre textes. Ceux-ci proviennent d'albums, de romans jeunesse ou de livres traitant de sujets divers (par exemple : *L'Encyclopédie des animaux, Les volcans, Les roches sédimentaires*) et appropriés au niveau scolaire de l'élève. Nous avons d'ailleurs donné des explications à ce sujet au chapitre 1. Plus nombreux sont les textes pour l'enseignement d'une stratégie, plus efficace sera l'apprentissage, car il devient plus facile de trouver des extraits correspondant aux besoins particuliers des élèves quand on a plusieurs textes sous la main.

Le degré de complexité est un aspect important du choix d'un texte pour l'enseignement d'une stratégie. Jocelyne Giasson (2003) propose neuf indicateurs ou facteurs de lisibilité pouvant représenter des difficultés pour le lecteur. Il est important que les enseignants connaissent ces indicateurs de lisibilité et examinent d'un œil averti les textes servant à l'enseignement d'une stratégie. Ces indicateurs sont les suivants :

■ la longueur ;

■ le vocabulaire employé (abstrait/concret, connu/nouveau) ;

■ la longueur des phrases ;

■ la structure des phrases (nombre de propositions) ;

■ la densité de l'information (le nombre de mots d'information par proposition) ;

■ sa structure (la façon dont les idées sont organisées et regroupées) ;

■ la difficulté intrinsèque du sujet ;

■ la capacité de l'auteur à tenir compte de l'auditoire ;

■ le degré de traitement du sujet (superficiel ou complet).

Des exemples de choix de textes

Prenons l'exemple de la stratégie de lecture *Je reconnais les mots de substitution* afin de déterminer quels textes choisir pour enseigner efficacement cette stratégie.

- Pour les élèves de 6 ans : un texte court, avec un registre de langue simple, de préférence au présent de l'indicatif.

- Pour les élèves de 7 et 8 ans : un texte plus long, au vocabulaire un peu plus développé et avec des verbes au présent, au passé composé et au futur simple de l'indicatif.

- Pour les élèves de 9 à 11 ans : un texte plus étoffé, avec des inférences et un vocabulaire soutenu, et dont les verbes sont conjugués à l'indicatif (présent, passé simple et futur simple), au subjonctif (présent et passé) et au conditionnel (présent et passé).

Pour ce qui est de la salle de classe régulière ou à niveaux multiples, l'enseignant doit composer avec la réalité des différents niveaux de performance de ses élèves et utiliser des textes appropriés.

- Quels textes choisir pour les élèves plus faibles (Niveaux 1 et 2) ?

- Quels textes conviendraient pour les élèves dont la performance correspond à la norme (Niveau 3) ?

- Quels textes susciteraient l'intérêt des élèves ayant dépassé la norme (Niveau 4) ?

C'est avec le temps et la pratique que les enseignants affinent leurs habiletés à sélectionner les textes répondant aux besoins de leurs élèves et aux exigences des stratégies qu'ils ont choisi d'enseigner.

Le tableau 2.12 présente des exemples de textes pour les différents niveaux d'autonomie des élèves.

Tableau 2.12 | **Des exemples de textes pour la stratégie *Je reconnais les mots de substitution***

Niveau 1 Est inférieur à la norme	Niveau 2 Est proche de la norme	Niveau 3 Atteint la norme	Niveau 4 Dépasse la norme
Performance de l'élève			
L'élève démontre une connaissance **limitée** des mots de substitution.	L'élève démontre une connaissance **partielle** des mots de substitution.	L'élève démontre une connaissance **juste** des mots de substitution.	L'élève démontre une connaissance **approfondie** des mots de substitution.
Exemples de textes pouvant être utilisés			
«Petit suisse cherche encore à manger. **Il** cueille une baie sucrée.» (Hall, 2001, p. 16 et 19)	«Willy! crie sa sœur Tulipe qui arrive en courant dans la cour. Qu'est-ce que tu fais? Triple zut! pense Willy. **Elle** ne me laissera jamais tranquille!» (Gay, 1990, p. 8)	«Quelques minutes plus tard, le petit ouistiti, les yeux brillants, apprend qu'**il** sera l'une des vedettes du cirque Grosso Modo.» (Papineau, 2005, p. 13)	«Ponce de Léon et ses hommes rencontrèrent les Indiens de la région. À leur grande surprise, et déception, sans doute, l'un d'entre **eux** connaissait les rudiments de la langue espagnole.» (Savage et Adolphe, 2008, p. 146)

Troisième élément de planification: les stratégies évaluatives à privilégier

Tout au long du bloc de littératie, l'enseignant fait appel à diverses stratégies d'évaluation afin de mesurer la qualité des apprentissages de ses élèves. L'importance de l'évaluation comme composante à part entière du bloc de littératie n'est plus à redire. L'évaluation est incontournable et indispensable; elle doit être considérée comme un tout faisant partie de l'apprentissage et comme un cheminement appartenant autant à l'enseignant qu'à l'élève. Elle ne doit pas être considérée comme une « bête noire » ou comme une « chasse à l'échec », mais plutôt comme un moyen d'apprendre et de s'améliorer.

Où se situe l'évaluation dans le déroulement de la première période du bloc de littératie et à quelles fins est-elle utilisée? Voici notre réponse.

L'évaluation diagnostique au service de l'apprentissage

Cette évaluation a lieu au début d'une unité d'apprentissage afin que l'enseignant puisse constater les acquis des élèves en rapport avec l'apprentissage ciblé.

Elle est pertinente au moment de:

- la lecture modelée – l'écriture modelée;
- la lecture guidée – l'écriture guidée;
- la lecture autonome – l'écriture autonome;
- l'interaction verbale quotidienne.

Pour ce genre d'évaluation, qui se fait de façon

Fiche 2.11 Un exemple de fiche d'observation diagnostique

Fiche d'observation pour l'évaluation diagnostique

Activité: **lecture**/écriture
Évaluer les connaissances antérieures des élèves au sujet de la stratégie *Reconnaître les mots de substitution.*

Élément(s) à observer:
- Capacités des élèves à identifier les mots de substitution dans un texte.
- Capacités des élèves à identifier les mots du texte qui sont remplacés par un mot de substitution.

Date: _____

Nom de l'élève:	Nom de l'élève:
Nom de l'élève:	Nom de l'élève:
Nom de l'élève:	Nom de l'élève:

informelle, il est bien d'avoir sous la main un instrument de mesure facile à remplir et rapide à consulter, tel que celui de la fiche reproductible 2.11 (*voir le site Web*).

L'évaluation formative en tant qu'apprentissage

L'évaluation formative en tant qu'apprentissage s'effectue pendant l'appropriation d'un nouveau concept. Elle témoigne de l'effort de l'élève et de la progression de ses compétences. Elle mesure l'apprentissage réalisé à l'issue d'une étape particulière et devrait avoir lieu aussi souvent que possible. Les rétroactions doivent être positives et pertinentes, en plus de suggérer des pistes précises d'amélioration. La rétroaction formative peut avoir lieu en conférence individuelle (l'enseignant et l'élève) ou en groupe-classe avec l'aide du TBI. Dans un cas comme dans l'autre, cette évaluation doit être accompagnée d'une version écrite qui sera remise à l'élève.

Elle est pertinente au moment de:

- la pratique autonome de la lecture partagée;
- la pratique autonome de l'écriture partagée;
- l'expression orale non formelle.

L'exemple que nous proposons au tableau 2.13 (*voir page suivante*) porte sur l'utilisation des éléments d'écriture dans une rédaction.

Critère utilisé pour la rétroaction	Commentaires	Évaluation
Les idées sont claires et le sujet principal est facile à identifier.	**Aujourd'hui:** J'ai de la difficulté à identifier l'idée principale de ton texte. Les idées ne sont pas assez développées. **La prochaine fois:** Essaie d'ajouter des détails pour développer l'idée principale de ton texte.	**Niveau 1** Courage! Ça ira mieux la prochaine fois.
Les phrases du texte sont fluides et s'enchaînent avec cohérence.	**Aujourd'hui:** Tu utilises une bonne variété de phrases mais ton texte ne se lit pas assez bien. **La prochaine fois:** Utilise des mots de substitution et des marqueurs de relation pour mieux lier les phrases de ton texte.	**Niveau 2** C'est bien! Tu fais des progrès.
Le texte utilise des comparaisons et des expressions figurées.	**Aujourd'hui:** Ton texte est très bien structuré et tu utilises un vocabulaire intéressant, surtout dans tes comparaisons et expressions figurées. **La prochaine fois:** Essaie de remplacer les verbes «avoir et être» par des verbes d'action plus imagés.	**Niveau 3** Super! Tu utilises bien tes apprentissages.
L'intérêt du lecteur est capté dès le début du texte.	**Aujourd'hui:** Ton texte est captivant et ton style est persuasif. **La prochaine fois:** Surveille la ponctuation et la mise en page de ton texte pour améliorer son apparence.	**Niveau 4** Bravo! C'est magnifique!

L'évaluation interactive (autoévaluation/évaluation par les pairs) en relation avec l'apprentissage

L'autoévaluation et l'évaluation par les pairs engagent les élèves dans un processus d'appropriation de leurs apprentissages. Relié à des tâches particulières, ce genre d'évaluation permet la discussion et l'échange sur des thèmes concernant la maîtrise d'un concept ou l'application d'une stratégie de lecture ou d'écriture.

Il est de mise d'utiliser l'évaluation interactive durant le bloc de littératie et plus particulièrement au moment des:

- modelages en lecture et écriture guidées;
- pratiques coopératives en lecture et écriture;
- rencontres avec l'enseignant en lecture et écriture guidées;
- temps d'objectivation à la fin des séances aux centres de littératie.

Dans le but de qualifier la progression de leurs apprentissages et de vérifier l'utilisation des stratégies métacognitives, les élèves ont recours à des stratégies d'autorégulation, comme celles qu'illustre la fiche reproductible 2.12 (*voir le site Web*).

Il va sans dire que ces stratégies doivent être enseignées de façon explicite afin que les élèves les connaissent bien. Ici aussi, il faut du temps pour permettre aux élèves de s'habituer à une telle démarche.

L'évaluation sommative de l'apprentissage

L'évaluation sommative est le cumul des démonstrations d'apprentissage effectuées durant une unité d'étude et selon un objectif ciblé (par exemple : *évaluation d'une stratégie de lecture ou d'écriture*). Travaux, projets, tâches questions-réponses, dossier d'écriture, observation individualisée de la fluidité et de la compréhension en lecture constituent des tâches de performance qui, une fois réunies dans un portfolio d'apprentissage, permettent à l'enseignant de porter un jugement professionnel et de déterminer la « note » ou la « cote » finale devant apparaître au bulletin de l'élève.

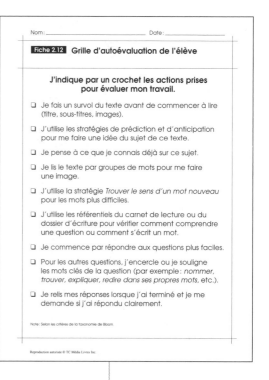

L'évaluation sommative se fait donc :

- en fin de parcours d'une unité d'apprentissage en lecture ou en écriture ;

- à la suite d'une présentation orale formelle en communication orale ;

- au moment de l'étape de publication d'un texte écrit ou de toute autre étape du processus d'écriture.

En outre, l'évaluation sommative représente la synthèse des apprentissages de l'élève indiquant les actions à entreprendre relativement à la prochaine étape ou à propos de l'affectation de l'élève pour la prochaine année scolaire. Les résultats d'une évaluation sommative doivent être communiqués à l'élève et à ses parents de façon formelle et à l'aide d'une grille d'autoévaluation individuelle de l'élève (*voir la fiche reproductible 2.12 sur le site Web comme exemple de grille d'autoévaluation*).

En ce qui concerne l'évaluation différenciée, il faut retenir que seuls les contenus et productions d'une unité d'étude peuvent être différents pour un élève présentant des besoins particuliers, mais que les attentes du curriculum ou du programme d'étude doivent demeurer les mêmes. Nous ajoutons ici un modèle de grille d'évaluation sommative dont les critères et les indicateurs de performance peuvent être modifiés selon les besoins (*voir le tableau 2.14, page suivante*).

L'ordre séquentiel des séances d'enseignement durant le bloc de littératie

Afin de bien planifier le bloc de littératie, les enseignants doivent organiser leur horaire en fonction du nombre de périodes dont ils ont besoin pour l'enseignement explicite des stratégies de lecture et d'écriture. Comme nous l'avons déjà mentionné à plusieurs reprises, le bloc de littératie s'échelonne sur 10 jours, les 5 premiers étant consacrés à l'enseignement explicite et réciproque, et les 5 derniers, à l'enseignement guidé et différencié. Nous ne traitons pas ici de la communication orale, car elle est quelque peu différente ; nous y reviendrons au chapitre 5.

Les figures 2.6, à la page suivante, et 2.7, à la page 67, permettent d'observer en un seul coup d'œil la structure et le déroulement des 10 jours du bloc de littératie.

Tableau 2.14	Un exemple de grille d'évaluation sommative d'une stratégie de lecture : *Je trouve l'ordre chronologique*			

Critère	Niveau 1	Niveau 2	Niveau 3	Niveau 4
Acquisition des connaissances Donne l'ordre chronologique des événements dans cette histoire.	Démontre une connaissance **limitée** de la stratégie à l'étude.	Démontre une connaissance **partielle** de la stratégie à l'étude.	Démontre une connaissance **juste** de la stratégie à l'étude.	Démontre une connaissance **approfondie** de la stratégie à l'étude.
Compréhension Que veut dire l'ordre chronologique ?	Démontre une compréhension **limitée** de la stratégie à l'étude.	Démontre une compréhension **partielle** de la stratégie à l'étude.	Démontre une compréhension **juste** de la stratégie à l'étude.	Démontre une compréhension **approfondie** de la stratégie à l'étude.
Application Utilise un schéma organisationnel pour présenter l'ordre chronologique de ce récit.	Organise **peu** ses idées et démontre avec **difficulté** sa compréhension et son utilisation d'un schéma organisationnel.	Organise **partiellement** ses idées et démontre avec une **certaine efficacité** sa compréhension et son utilisation d'un schéma organisationnel.	Organise **bien** ses idées et démontre avec **efficacité** sa compréhension et son utilisation d'un schéma organisationnel.	Organise **clairement** ses idées et démontre avec **logique** sa compréhension et son utilisation d'un schéma organisationnel.
Analyse et communication Explique comment l'ordre chronologique de ce récit aide à mieux connaître le personnage principal de l'histoire.	Communique **difficilement** sa pensée. **A besoin d'aide** pour utiliser les conventions linguistiques enseignées.	Communique sa pensée avec **une certaine clarté**. Utilise les conventions linguistiques en faisant **plusieurs erreurs**.	Communique sa pensée avec **clarté**. Utilise les conventions linguistiques en faisant **peu d'erreurs**.	Communique sa pensée avec **cohérence**. Utilise les conventions linguistiques en ne faisant **presque pas ou pas d'erreurs**.
Synthèse et évaluation Justifie l'importance et l'utilité de l'ordre chronologique dans un texte.	Utilise **peu** ses nouvelles connaissances pour justifier l'importance de l'ordre chronologique.	Utilise **partiellement**, ses nouvelles connaissances pour justifier l'importance de l'ordre chronologique.	Utilise **souvent** ses nouvelles connaissances pour justifier l'importance de l'ordre chronologique.	Utilise **toujours** ses nouvelles connaissances pour justifier l'importance de l'ordre chronologique.

Figure 2.6	Situations de lecture Jour 1 à Jour 10 (première période du bloc de littératie)

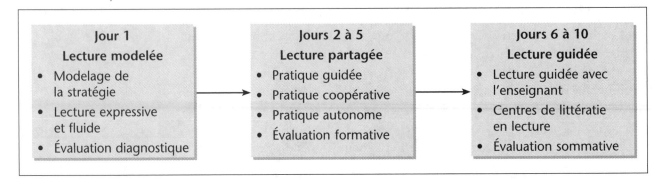

Jour 1
Lecture modelée
- Modelage de la stratégie
- Lecture expressive et fluide
- Évaluation diagnostique

Jours 2 à 5
Lecture partagée
- Pratique guidée
- Pratique coopérative
- Pratique autonome
- Évaluation formative

Jours 6 à 10
Lecture guidée
- Lecture guidée avec l'enseignant
- Centres de littératie en lecture
- Évaluation sommative

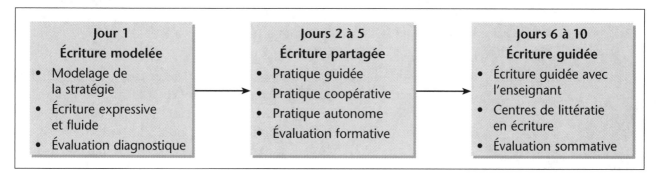

Jour 1 Écriture modelée	Jours 2 à 5 Écriture partagée	Jours 6 à 10 Écriture guidée
• Modelage de la stratégie • Écriture expressive et fluide • Évaluation diagnostique	• Pratique guidée • Pratique coopérative • Pratique autonome • Évaluation formative	• Écriture guidée avec l'enseignant • Centres de littératie en écriture • Évaluation sommative

Les activités pouvant avoir lieu durant la deuxième période du bloc de littératie

La deuxième période du bloc de littératie se prête à une grande variété d'activités, les unes étant formelles, les autres, ludiques. Bien qu'il soit nécessaire de prendre en considération toutes les possibilités d'enseignement du bloc de littératie, il est aussi important de comprendre qu'après la première période de 60 minutes, les élèves ont un besoin pressant de changer le rythme de leurs apprentissages. Il est donc nécessaire de leur offrir des activités authentiques et amusantes qui, tout en étant différentes des travaux effectués plus tôt dans la journée, font tout de même appel aux connaissances laborieusement acquises durant la première tranche du bloc de littératie.

L'élève comprend mieux la nécessité du travail fait en enseignement explicite lorsqu'il peut en saisir l'utilité véritable. C'est dire que les notions apprises dans un cadre plus formel (première période de 60 minutes) rendent bien service quand vient le moment de se livrer à des activités de tous genres dans un contexte moins formel (deuxième période de 60 minutes).

Ainsi, une stratégie de compréhension comme *Trouver le sens d'un mot nouveau*, présentée durant l'enseignement explicite de la première période du bloc de littératie, constitue une appropriation de connaissances parfaitement réutilisables au moment d'une activité de lecture durant le deuxième volet du bloc d'enseignement en littératie.

Les activités d'apprentissage à caractère formel

Les activités à caractère **formel** regroupent des :

- exercices de grammaire nouvelle ;

- séances d'orthographes approchées ;

- dictées zéro fautes, phrases dictées du jour, dictées à trous ;

- cercles de lecture ;

- présentations orales formelles ;

- séances de lecture autonome ;

- séances d'écriture autonome.

Les séances de lecture et d'écriture autonome se distinguent par des éléments de planification et de gestion particuliers. Nous les élaborons ci-après.

La gestion de la lecture autonome (élèves de 6 à 8 ans)

L'évaluation individualisée de l'élève effectuée au début de l'année scolaire détermine son niveau d'autonomie en lecture (*voir le chapitre 1*) et dès lors un **sac de lecture** lui est remis contenant habituellement trois livres du même niveau, nivelés selon une échelle normalisée. Les sacs peuvent être en tissu ou en plastique, du genre de ceux qu'on utilise pour ranger les aliments au congélateur. Les livres réservés à la lecture autonome peuvent être rangés en ordre croissant de difficulté dans le coin de lecture. Il faut cependant les séparer des livres destinés à la lecture personnelle empruntés à la bibliothèque de l'école ou venant d'ailleurs.

Au moment de la lecture autonome, les élèves s'installent dans le coin de lecture de la classe (sur un tapis ou des coussins, s'il y en a) et lisent un livre parmi ceux qui se trouvent dans leur sac. Les élèves ont aussi en main leur carnet de lecture. Ils y choisissent une activité et peuvent la commencer pendant qu'ils lisent. Enfin, une fiche de consignes accompagne le carnet de lecture afin de rappeler à l'élève les comportements à privilégier.

Pour la lecture autonome l'élève doit avoir :

- son sac de lecture (*voir les photographies ci-contre*) ;
- son carnet de lecture (*voir la fiche reproductible 2.13 sur le site Web*) ;
- sa fiche de consignes pour la lecture autonome (*voir la fiche reproductible 2.14 sur le site Web*).

La durée et la fréquence des séances de lecture autonome sont déterminées par l'enseignant qui doit tenir compte des variables suivantes :

Exemples de sacs de lecture

Exemple de rangement des livres pour la lecture autonome

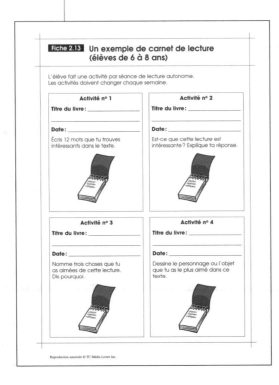

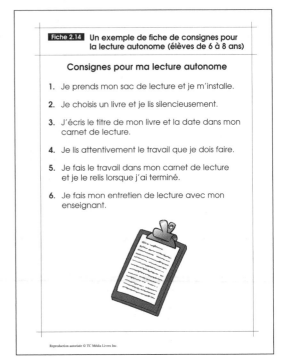

1. **lecture autonome** → 20 minutes ;

2. travail dans le **carnet de lecture** → 20 minutes ;

3. **entretiens de lecture** → durant une période de 40 minutes, l'enseignant peut rencontrer 2 ou 3 élèves en conférence individuelle ;

4. **fréquence** → des séances de lecture autonome peuvent avoir lieu 2 ou 3 fois par semaine durant la deuxième période du bloc de littératie.

L'entretien de lecture Lors d'un entretien de lecture, l'enseignant évalue la compréhension et la fluidité de l'élève ainsi que l'intégration des stratégies de lecture enseignées. En questionnant l'élève, en le faisant lire à haute voix (sans déranger la classe) et en vérifiant le travail effectué dans le carnet de lecture, il détermine si la performance de l'élève en lecture s'est améliorée depuis le dernier entretien. Si tel est le cas, l'élève peut changer de niveau et choisir d'autres livres pour son sac de lecture. De toute évidence, certains élèves devront lire plusieurs livres du même niveau et auront besoin de plus d'un entretien de lecture avant d'arriver à un niveau d'autonomie plus élevé. Il faut alors encourager et soutenir ces élèves, car c'est là la nature de l'enseignement différencié répondant aux besoins de tous.

Pour les **entretiens** de lecture l'enseignant doit avoir :

■ la fiche de vérification pour l'entretien de lecture (*voir la fiche reproductible 2.15 sur le site Web*) ;

■ le gabarit des stratégies de lecture à utiliser lors des entretiens (*voir la fiche reproductible 2.16 sur le site Web*).

Bien que les élèves de 9 à 11 ans n'utilisent plus les sacs de lecture ni les niveaux d'autonomie selon les échelles de lecture, il importe de continuer de privilégier la lecture autonome. Celle-ci doit demeurer très présente dans la

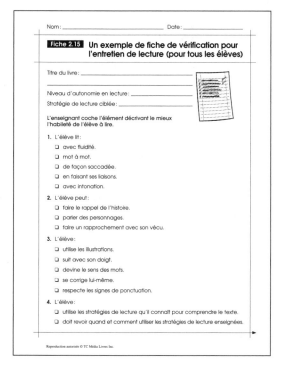

Nom : _____ Date : _____

Fiche 2.15 Un exemple de fiche de vérification pour l'entretien de lecture (pour tous les élèves)

Titre du livre : _____

Niveau d'autonomie en lecture : _____

Stratégie de lecture ciblée : _____

L'enseignant coche l'élément décrivant le mieux l'habileté de l'élève à lire.

1. L'élève lit :
   ☐ avec fluidité.
   ☐ mot à mot.
   ☐ de façon saccadée.
   ☐ en faisant ses liaisons.
   ☐ avec intonation.

2. L'élève peut :
   ☐ faire le rappel de l'histoire.
   ☐ parler des personnages.
   ☐ faire un rapprochement avec son vécu.

3. L'élève :
   ☐ utilise les illustrations.
   ☐ suit avec son doigt.
   ☐ devine le sens des mots.
   ☐ se corrige lui-même.
   ☐ respecte les signes de ponctuation.

4. L'élève :
   ☐ utilise les stratégies de lecture qu'il connaît pour comprendre le texte.
   ☐ doit revoir quand et comment utiliser les stratégies de lecture enseignées.

Fiche 2.16 Gabarit pour les entretiens de lecture (élèves de 6 à 8 ans)

Sous chaque nom d'élève, l'enseignant indique :
√ (Utilise correctement la stratégie lors de son entretien de lecture.)
X (Doit revoir quand et comment utiliser les stratégies de lecture enseignées.)
L'enseignant évalue seulement les stratégies qui correspondent à son niveau d'enseignement.

	Noms des élèves								
Date :									
J'anticipe et je fais des prédictions.									
Je me fais une image dans la tête.									
Je lis par groupes de mots.									
Je reconnais les mots de substitution.									
Je trouve le sens d'un mot nouveau.									
Je reconnais la structure d'un récit.									
Je trouve le sujet du texte.									
Je trouve l'ordre chronologique.									
Je comprends les expressions figurées et le sens des messages dans un texte.									

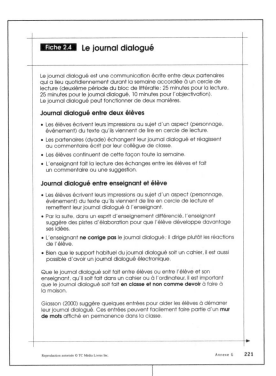

routine de classe des élèves de cet âge. Ils peuvent avoir un **journal de lecture** dans lequel ils réalisent des tâches suggérées par l'enseignant ou rédigent leurs impressions au sujet d'un texte qu'ils viennent de lire. Ce journal de lecture peut alors prendre la forme d'un **journal dialogué** entre l'élève et l'enseignant ou entre partenaires de classe. Commentaires, questions et réponses s'élaborent tout au long de la lecture d'un texte littéraire ou documentaire et le journal dialogué, passant d'une main à l'autre, devient un outil de communication à la fois pertinent et révélateur. Ces échanges entre les élèves et l'enseignant sont intéressants et invitent les lecteurs à continuer de lire et à pousser plus loin leurs dialogues au sujet de leurs lectures. On trouvera un exemple de journal dialogué à l'annexe G (*voir la fiche reproductible 2.4*).

Les entretiens de lecture sont encore pertinents pour les élèves de 9 à 11 ans. Ils servent alors à mesurer les progrès en fluidité et en compréhension et permettent de vérifier l'intégration des stratégies de lecture. Puisque la démarche d'entretien de lecture est identique à celle que nous avons expliquée pour les élèves de 5 à 8 ans, nous encourageons les enseignants à utiliser la fiche de vérification de l'entretien de lecture telle qu'elle apparaît dans la fiche reproductible 2.15 (*voir le site Web*).

Nous présentons :

- un exemple d'un journal de lecture pour les élèves de 9 à 11 ans (*voir la fiche reproductible 2.17 sur le site Web*) ;

- le gabarit des stratégies de lecture à utiliser lors des entretiens (*voir la fiche reproductible 2.18 sur le site Web*).

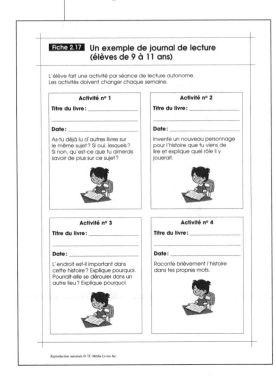

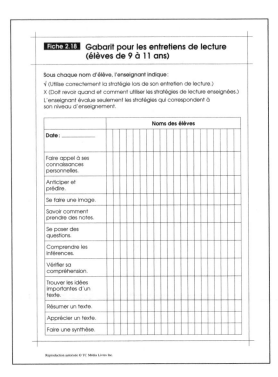

Toutefois, nous n'avons pas jugé nécessaire d'inclure une fiche de consignes pour la lecture autonome, laissant plutôt les enseignants décider de l'utilisation du code de vie de la classe pour gérer ce genre d'activité avec des élèves de ces niveaux.

La gestion de l'écriture autonome

L'écriture autonome vise la rédaction des textes prescrits par le curriculum ou le programme cadre selon un processus qui lui est propre. Nous en avons d'ailleurs présenté le fonctionnement et le déroulement au chapitre 1. Toutefois, nous précisons ici que les périodes d'écriture autonome (comme celles de lecture autonome) exigent une gestion de classe adéquate afin de permettre aux élèves de se livrer en toute tranquillité à des séances d'écriture fructueuses.

Durant la période d'écriture autonome, tous les élèves de 6 à 11 ans appliquent les stratégies et éléments d'écriture avec lesquels ils se sont exercés en enseignement explicite (première période du bloc de littératie). De plus, ils appliquent cette stratégie ou cet élément d'écriture à l'une ou l'autre des étapes du processus d'écriture selon les directives de l'enseignant. Ainsi, durant une séance d'écriture autonome, les élèves pourraient s'appliquer à faire un plan, à rédiger une ébauche ou à peaufiner la version finale d'un texte prescrit, lequel aurait été étudié en situation d'écriture partagée et guidée.

Exemples de dossiers d'écriture (pour tous les élèves)

En ce qui concerne la durée et la fréquence du temps consacré à l'écriture autonome, l'enseignant tient compte des variables suivantes :

1. **écriture autonome dans le dossier d'écriture** → 40 minutes ;

2. **entretiens d'écriture** → durant une période de 40 minutes, l'enseignant peut rencontrer 2 ou 3 élèves en conférence individuelle ;

3. **fréquence** → des séances d'écriture autonome peuvent avoir lieu 2 ou 3 fois par semaine durant la deuxième période du bloc de littératie.

Pour l'écriture autonome, l'élève doit avoir :

■ son dossier d'écriture ;

■ pour les élèves de 6 à 8 ans, la fiche de consignes pour l'écriture autonome (*voir la fiche reproductible 2.19 sur le site Web*).

Pour les élèves de 9 à 11 ans, les séances d'écriture autonome se déroulent de la même façon et poursuivent les mêmes buts que celles des élèves de 6 à 8 ans, à savoir :

■ appliquer l'une ou l'autre des étapes du processus d'écriture à la rédaction d'un texte ;

■ tenir compte des caractéristiques du texte à écrire ;

■ enrichir le texte par l'utilisation d'éléments d'écriture ciblant la cohérence, la fluidité et la créativité.

Fiche 2.19 Un exemple de fiche de consignes pour l'écriture autonome (élèves de 6 à 8 ans)

Consignes pour mon écriture autonome

1. Je rassemble tout ce dont j'ai besoin pour écrire.

2. Je rédige ou je continue la rédaction d'un texte demandé par mon enseignant.

3. Je respecte les étapes du processus d'écriture.

4. J'utilise des éléments d'écriture.

5. Je me concentre sur mon travail de rédaction et je le relis lorsque j'ai terminé.

6. Je fais mon entretien d'écriture avec mon enseignant.

Pour l'écriture autonome, les élèves plus âgés peuvent utiliser l'ordinateur au lieu d'un dossier d'écriture et ils n'ont pas nécessairement besoin d'une fiche de consignes. Par contre, l'enseignant doit veiller au bon fonctionnement des sessions d'écriture autonome, s'assurer que les élèves utilisent judicieusement les outils informatiques mis à leur disposition et qu'ils respectent en tout temps les règles du code de vie de la classe.

Pour les entretiens d'écriture, l'enseignant doit avoir :

- la fiche de vérification de l'entretien d'écriture (*voir la fiche reproductible 2.20 sur le site Web*) ;

- le gabarit des stratégies d'écriture (*voir les fiches reproductibles 2.21 et 2.22 sur le site Web*) ;

- le gabarit des éléments d'écriture (*voir la fiche reproductible 2.23 sur le site Web*).

En ce qui concerne l'écriture autonome, des exemples de sujets de rédaction pour le carnet d'écriture (*voir les fiches reproductibles 2.24 et 2.25 sur le site Web*) peuvent intéresser les enseignants pour l'écriture créative. Ces exercices sont souvent utiles au cours des entretiens d'écriture lorsque l'enseignant cherche d'autres pistes que celles du dossier d'écriture pour l'évaluation diagnostique des apprentissages en rédaction. Ils peuvent également servir aux centres de littératie en écriture, comme nous le suggérons plus loin.

Les activités d'apprentissage à caractère ludique

La deuxième période du bloc de littératie est le moment idéal pour des activités qui procurent aux élèves le plaisir de lire, d'écrire et de s'exprimer. Ce temps heureux de la littératie se doit d'être rempli de nombreuses activités à caractère ludique. Il existe actuellement plusieurs ressources concernant l'animation d'activités de littératie, mais c'est la créativité des

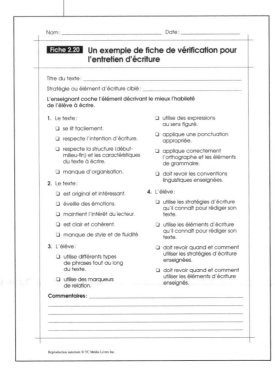

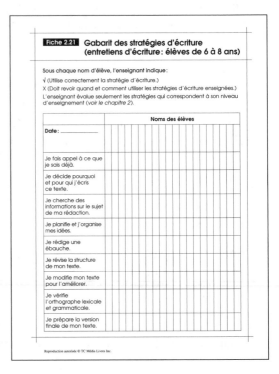

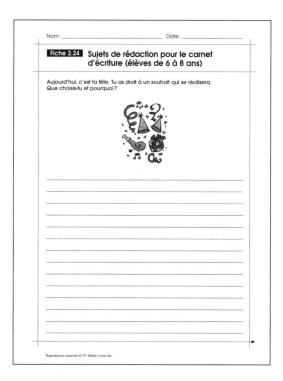

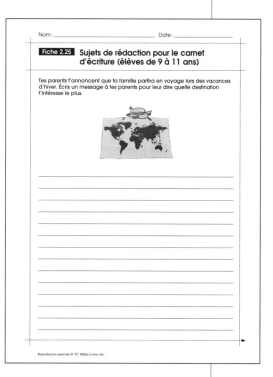

Fiche 2.22 Gabarit des stratégies d'écriture
(entretiens d'écriture : élèves de 9 à 11 ans)

Sous chaque nom d'élève, l'enseignant indique :

√ (Utilise correctement la stratégie d'écriture.)

X (Doit revoir quand et comment utiliser les stratégies d'écriture enseignées.)

L'enseignant évalue seulement les stratégies qui correspondent à son niveau d'enseignement (voir le chapitre 2).

Date : _____	Noms des élèves										
Cibler l'intention d'écriture, les destinataires et le type de texte.											
Faire appel à ses connaissances personnelles.											
Chercher des informations sur le sujet.											
Dresser un plan.											
Rédiger une ébauche.											
Réviser la structure de son texte.											
Réviser pour améliorer son texte.											
Vérifier l'orthographe lexicale et grammaticale.											
Préparer son texte pour la publication.											

Fiche 2.23 Gabarit des éléments d'écriture
(entretiens d'écriture : tous les élèves)

Sous chaque nom d'élève, l'enseignant indique :

√ (Utilise correctement cet élément d'écriture.)

X (Doit revoir quand et comment utiliser cet élément d'écriture.)

Date : _____	Noms des élèves										
Les idées (intention et destinataire)											
La structure (l'ordre et la cohérence)											
Le choix de mots (vocabulaire riche et varié)											
La fluidité (types de phrases variées, rythme)											
Le style (original, intéressant)											
Les conventions linguistiques (orthographe, grammaire, ponctuation, majuscules)											
La présentation (calligraphie, espace entre les mots, éléments visuels, présentation et disposition du texte fait à l'ordinateur)											

Nom : _____ Date : _____

Fiche 2.24 Sujets de rédaction pour le carnet d'écriture (élèves de 6 à 8 ans)

Aujourd'hui, c'est ta fête. Tu as droit à un souhait qui se réalisera. Que choisis-tu et pourquoi ?

_____

_____

_____

_____

_____

_____

_____

_____

Nom : _____ Date : _____

Fiche 2.25 Sujets de rédaction pour le carnet d'écriture (élèves de 9 à 11 ans)

Tes parents t'annoncent que ta famille partira en voyage lors des vacances d'hiver. Écris un message à tes parents pour leur dire quelle destination t'intéresse le plus.

_____

_____

_____

_____

_____

_____

_____

_____

enseignants qui demeure la meilleure source de production de jeux et de saynètes qui sauront agrémenter le temps réservé à la deuxième tranche du bloc de littératie. Nous suggérons ici quelques activités à caractère ludique, sachant fort bien que les enseignants en connaissent beaucoup d'autres.

Les activités à caractère ludique regroupent des séances d'animation pédagogiques telles que :

- la **lecture modelée aux élèves** : lire à voix haute devant les élèves pour le simple plaisir de lire ;

- le **théâtre des lecteurs** : devant la classe, les élèves lisent un texte qu'ils ont répété à la maison ou en classe (les élèves peuvent se costumer pour présenter leur lecture) ;

- la **chaise de l'auteur** : devant la classe, les élèves lisent un court texte qu'ils ont écrit (le carnet de lecture peut servir ici) ;

- l'**improvisation orale** : les élèves improvisent une courte saynète, racontent un rêve ou un voyage, expliquent un dessin ou pigent dans une « boîte à surprise » des bouts de phrases qui se prêtent bien à l'expression orale informelle (par exemple : Ce matin en me levant, j'ai vu…) ;

- les activités en rapport avec les **intelligences multiples** (élèves de 9 à 11 ans) : les élèves préparent une présentation sur un sujet choisi (par exemple : les dinosaures) en relation avec les intelligences multiples de Gardner ; on accorde habituellement 2 à 3 sessions de 60 minutes pour la recherche, la préparation et la présentation ;

- les activités exploitant le **mur de mots** : choisir des activités pour s'amuser avec les mots.

Voici quelques explications au sujet des murs de mots et des exemples de leur utilisation.

Les murs de mots

Les murs de mots représentent un outil d'apprentissage sans frontière (peu importe la matière ou le niveau) appuyant l'enrichissement du vocabulaire, la compréhension de mots nouveaux et l'amélioration du rendement de l'élève.

En quoi consistent les murs de mots ? Le mur de mots se compose de groupes de mots affichés en ordre alphabétique sur un mur ou un tableau d'affichage dans la classe. Ces mots sont écrits de façon à ce que les élèves puissent bien les voir. Ils doivent être accompagnés du déterminant approprié (un, une, le, la) et proviennent des textes prescrits en lecture pour chacun des niveaux scolaires.

Ils regroupent aussi :

- des mots de grammaire ;

- des expressions figurées (comparaisons et métaphores) ;

- des mots reliés aux différentes matières (littératie, sciences, études sociales, etc.) ;

- des marqueurs de relation et des organisateurs textuels.

Les mots sont présentés à raison de 5 à 10 par semaine. Les élèves les lisent et les écrivent dans leur journal de mots. D'autres mots sont ajoutés chaque semaine, tant et aussi longtemps que dure l'unité d'apprentissage. Ainsi, à la fin de deux ou trois semaines, un mur de mots portant sur l'étude et la rédaction d'un « conte » pourrait contenir une trentaine de mots que les élèves comprennent et peuvent écrire sans faute. Les mots restent affichés pendant la durée de l'unité d'apprentissage, puis ils sont rangés lorsque l'étude du thème ou du sujet d'étude est terminée.

Bien que les murs de mots se prêtent aux travaux effectués pendant les centres de littératie (première période), ils deviennent encore plus motivants et dynamiques lors de la deuxième période du bloc de littératie.

Le secret pour réussir les murs de mots, c'est de les animer quotidiennement avec des activités et des jeux ciblant l'appropriation de sens et l'utilisation authentique dans un contexte ludique et motivant.

Nous invitons le lecteur à consulter nos ouvrages *Les Murs de mots, tomes 1 et 2* (Malette et Vinet, 2010 et 2013), qui présentent des dizaines de jeux d'animation pour les élèves de tous les âges.

La planification annuelle des blocs de littératie

Au fur et à mesure que se déroulent les blocs de littératie et que les enseignants maîtrisent les composantes des deux périodes de 60 minutes telles que nous venons de les présenter, il devient évident que s'impose une répartition des blocs d'enseignement explicite durant une année scolaire. Avant de clore le chapitre 2, examinons brièvement la planification annuelle des blocs de littératie.

Si nous considérons que l'enseignement d'une stratégie de lecture prend 10 jours et qu'elle est habituellement suivie de l'enseignement d'une stratégie d'écriture qui elle aussi prend 10 jours, il faut donc compter 20 jours ou 2 blocs de 10 jours chacun pour l'enseignement de deux stratégies dans un mois régulier du calendrier scolaire. Toutefois, c'est à l'enseignant qu'il revient de décider du nombre de stratégies qu'il enseignera en l'espace d'un mois, car lui seul peut juger des besoins de ses élèves.

Si les cartographies des stratégies d'enseignement explicite en lecture et en écriture que nous avons présentées (*voir les tableaux 2.8 à 2.11, pages 59 à 61*) permettent aux enseignants d'identifier les stratégies propres à leurs niveaux, elles soulèvent aussi d'autres questions :

■ Quelles sont les périodes de l'année les plus propices pour l'enseignement et l'évaluation des stratégies ?

■ Est-il possible d'enseigner plus d'une stratégie dans un mois ?

■ Où se situent les stratégies de communication orale ?

Nous prenons ici l'exemple d'une classe de 3ᵉ année (élèves de 7 et 8 ans) pour répondre à ces questions et élaborer un modèle de planification annuelle qu'il est possible de modifier selon le désir des enseignants. La planification annuelle du tableau 2.15, à la page suivante, cible uniquement la première période du bloc de littératie et suggère une répartition des stratégies pouvant être enseignées ainsi que l'utilisation de l'évaluation sommative.

Il est important de retenir, qu'en septembre, il faut démarrer en douceur et se donner du temps pour apprivoiser toutes les réalités d'une nouvelle année scolaire

Tableau 2.15	Un exemple de planification annuelle des blocs de littératie (élèves de 7 et 8 ans)

Mois	Stratégies de lecture	Stratégies d'écriture	Stratégies de communication orale
Septembre	**Stratégies à revoir** • *J'anticipe et je fais des prédictions* • *Je me fais une image dans la tête*	**Stratégies à revoir** • *Je fais appel à ce que je sais déjà* • *Je décide pourquoi et pour qui j'écris ce texte*	**Stratégies à revoir** • *Je prends une position d'écoute et je fais preuve de politesse durant le message* • *Je sais pourquoi je livre ce message*
Octobre	**Stratégie à enseigner** *Je lis par groupes de mots* **Évaluation sommative** *Je lis par groupes de mots*	**Stratégie à enseigner** *Je cherche des informations sur le sujet de ma rédaction*	**Stratégies à enseigner** • *J'emploie les mots justes* • *Je contrôle ma voix*
Novembre	**Stratégie à enseigner** *Je trouve l'ordre chronologique* **Évaluation sommative** *Je trouve l'ordre chronologique*	**Stratégie à enseigner** *Je planifie et j'organise mes idées* **Évaluation sommative** *Je planifie et j'organise mes idées*	**Stratégie à enseigner** *Je choisis une posture et des gestes appropriés*
Décembre		**Stratégie à enseigner** *Je rédige une ébauche* **Évaluation sommative** *Je rédige une ébauche*	**Stratégie à enseigner** *J'utilise mes connaissances personnelles pour comprendre le message*
Janvier	**Stratégie à enseigner** *Je trouve le sujet du texte*	**Stratégie à enseigner** *Je révise la structure de mon texte*	**Stratégie à enseigner** *Je prépare et je répète ma présentation* **Évaluation sommative** *Présentation orale formelle*
Février	**Stratégie à enseigner** *Je comprends les expressions figurées et le sens des messages dans un texte* **Évaluation sommative** *Je comprends les expressions figurées et le sens des messages dans un texte*	**Stratégie à enseigner** *Je vérifie l'orthographe lexicale et grammaticale* **Évaluation sommative** *Je vérifie l'orthographe lexicale et grammaticale*	**Stratégies à enseigner** • *Je comprends les gestes et les expressions faciales du locuteur* • *Je trouve le sens du message*
Mars	**Stratégie à enseigner** *Je reconnais les mots de substitution*	**Stratégie à enseigner** *Je modifie mon texte pour l'améliorer*	**Stratégie à enseigner** *Je redis le message dans mes propres mots*

Tableau 2.15 **Un exemple de planification annuelle des blocs de littératie (élèves de 7 et 8 ans) (*suite*)**

Mois	Stratégies de lecture	Stratégies d'écriture	Stratégies de communication orale
Avril	**Stratégie à enseigner** *Je trouve le sens d'un mot nouveau*	**Évaluation sommative** *Je modifie mon texte pour l'améliorer*	**Stratégie à enseigner** *J'exprime mon opinion au sujet du message*
Mai	**Stratégie à enseigner** *Je reconnais la structure d'un récit* **Évaluation sommative** *Je reconnais la structure d'un récit*		**Stratégies à enseigner** • *J'établis un contact avec mon auditoire* • *Je livre mon message selon les règles de la politesse*
Juin		**Stratégie à enseigner** *Je prépare la version finale de mon texte* **Évaluation sommative** *Je prépare la version finale de mon texte*	**Stratégie à enseigner/revoir** *Je prépare et je répète ma présentation* **Évaluation sommative** *Présentation orale formelle*

L'important n'est pas de tout savoir sans le moindre oubli ou de tout faire sans la moindre erreur, mais de croire en soi-même et de célébrer ses succès, quels qu'ils soient.

Chapitre **3**

L'enseignement d'un bloc de littératie en lecture

Le présent chapitre porte sur l'enseignement d'une stratégie de lecture destinée aux élèves de 7 et 8 ans (3ᵉ année). Cette stratégie sert de modèle à toutes les autres. Peu importe la stratégie ou l'âge des apprenants, le modèle d'enseignement et le déroulement du bloc de littératie sont les mêmes. En fait, d'un niveau à l'autre, seules changent la longueur des travaux et la complexité des textes utilisés. Afin d'illustrer l'utilisation d'une stratégie durant le bloc de littératie en lecture, nous avons choisi d'élaborer la stratégie de compréhension *Je trouve l'ordre chronologique*. Nous nous attarderons uniquement aux contenus de la première période du bloc de littératie.

L'organisation de la première semaine que nous proposons plus loin repose sur la séquence des situations de lecture et fait appel à l'enseignement explicite et réciproque, ainsi qu'à l'utilisation du gabarit d'enseignement explicite (*voir la fiche reproductible 1.10*).

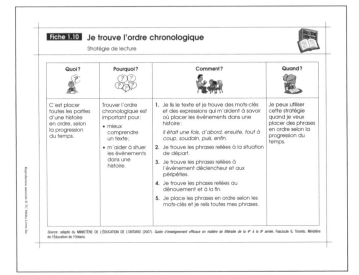

- Jour 1 – Lecture modelée aux élèves (évaluation diagnostique)

- Jour 2 – Lecture partagée : modelage (évaluation diagnostique)

- Jour 3 – Lecture partagée : pratique guidée (évaluation diagnostique)

- Jour 4 – Lecture partagée : pratique coopérative (évaluation interactive)

- Jour 5 – Lecture partagée : pratique autonome (évaluation formative)

La deuxième semaine proposée dans cet exemple présente le déroulement de l'enseignement guidé et différencié. Les centres de littératie ne font pas l'objet d'une description détaillée ici puisque nous en avons traité au chapitre 2.

- Jour 6 – Lecture guidée : Niveau 1 (évaluations diagnostique et formative)

- Jour 7 – Lecture guidée : Niveau 2 (évaluations diagnostique et formative)

- Jour 8 – Lecture guidée : Niveau 3 (évaluations diagnostique et formative)

- Jour 9 – Lecture guidée : Niveau 4 (évaluations diagnostique et formative)

- Jour 10 – Lecture guidée : évaluation sommative de la stratégie enseignée et correction des travaux effectués en centres de littératie

- Jour 10 – Lecture guidée avec un Niveau combiné (pour les classes de plus de 24 élèves)

Voyons maintenant les composantes de la semaine 1 du bloc de littératie en lecture.

Semaine 1 du bloc de littératie en lecture

Stratégie utilisée : Stratégie de lecture *Je trouve l'ordre chronologique*

Étapes du processus : Prélecture, lecture

Modèles d'enseignement : Enseignement explicite et réciproque

Temps alloué à chaque séance : Avant : 15 minutes – Pendant : 30 minutes – Après : 15 minutes

Jour 1

Situation d'enseignement	Objectif de la leçon	Matériel à préparer	Regroupement	Type d'évaluation
Lecture modelée aux élèves	Plaisir de lire et **introduction** à la stratégie *Je trouve l'ordre chronologique*	<ul><li>Texte permettant l'utilisation de l'ordre chronologique.</li><li>Tableau SVA.</li><li>Accessoires pour animer la lecture.</li><li>5 à 10 mots pour démarrer le mur de mots.</li></ul>	Groupe-classe	Évaluation **diagnostique** des connaissances générales des élèves au sujet de l'ordre chronologique

Avant

- Survoler le texte.

  Lire le titre et les sous-titres, montrer les illustrations et la jaquette du livre. Demander au groupe-classe :

  – D'après la couverture, le titre, les sous-titres, les illustrations, de quoi va parler ce texte ?

  – Est-ce que le titre vous aide à anticiper le sujet ?

  – De quel genre de texte s'agit-il ?

■ Définir l'intention.

Demander au groupe-classe pourquoi l'auteur a écrit ce livre :

– Pour nous faire rire ? Pour nous raconter une histoire triste ?

– À qui s'adresse ce texte ?

– Quelles images vous viennent en tête quand vous lisez le titre ?

■ Faire les prédictions.

Demander au groupe-classe de faire leurs prédictions.

– Selon vous, que va-t-il se passer dans cette histoire ?

Recueillir oralement les prédictions.

■ Faire le S et le V du tableau SVA (*voir la fiche reproductible 1.65 sur le site Web*).

– Demander aux élèves ce qu'ils savent déjà au sujet de l'histoire d'après le titre et les illustrations.

– Écrire quelques réponses sur de grandes feuilles de papier ou au tableau.

– Demander aux élèves ce qu'ils veulent savoir au sujet de cette histoire.

– Écrire quelques réponses sur de grandes feuilles de papier ou au tableau.

– Dire au groupe-classe que le A du SVA sera fait après la lecture de l'histoire.

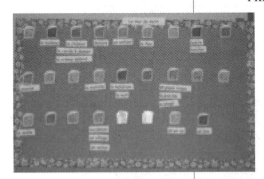

■ Faire le mur de mots.

– Présenter, en ordre alphabétique, 5 à 10 mots nouveaux qui pourraient rendre difficile la compréhension du texte.

– Donner une brève définition ou un synonyme pour chaque mot.

– Dire aux élèves qu'ils pourront écrire ces mots dans leur journal de mots plus tard dans la journée.

Pendant

■ Lecture du texte.

– Afin de modéliser subtilement la stratégie *Je trouve l'ordre chronologique*, lire le texte en choisissant des phrases ici et là dans le livre.

– S'arrêter après quelques phrases et demander aux élèves si l'histoire est claire pour eux.

– Réfléchir à voix haute en disant : « Je ne comprends pas cette histoire. Ce serait mieux de la lire en suivant l'ordre des pages. »

– Lire le texte avec expression et fluidité en se servant d'accessoires apportés pour animer la lecture.

– Permettre aux élèves de réagir durant la lecture, mais limiter les interruptions.

– Prévoir suffisamment de temps pour lire le texte. Au besoin, si le temps manque, choisir les passages les plus importants.

Après

■ Confirmation des prédictions.

   – Confirmer le sujet et l'intention du texte en demandant aux élèves si leurs prédictions étaient justes ou non.

■ Réaction au texte.

   – Recueillir les commentaires des élèves au sujet du texte lu.

■ Faire le A du tableau SVA.

   – Demander aux élèves ce qu'ils ont appris de nouveau dans cette histoire.

   – Écrire quelques réponses sur de grandes feuilles de papier ou au tableau.

   – Faire des rapprochements avec d'autres textes du même genre.

Jour 2

Situation d'enseignement	Objectif de la leçon	Matériel à préparer	Regroupement	Type d'évaluation

Lecture partagée	**Modelage** de la stratégie *Je trouve l'ordre chronologique*	• Gabarits d'enseignement explicite (*voir les fiches reproductibles 1.1 et 1.10*)
		• Grandes feuilles de papier ou tableau interactif
		• Au moins six phrases du texte écrites de couleurs différentes sur des bandes de papier ou prêtes pour le tableau interactif :
		  – deux pour le début du récit (bleu)
		  – deux pour le milieu du récit (rouge)
		  – deux pour la fin du récit (vert)
			Groupe-classe	Évaluation **diagnostique** de la compréhension des élèves au sujet de l'ordre chronologique d'un récit

Avant

■ Afin d'assurer un enseignement inclusif (pour les plus forts comme pour les plus faibles), utiliser le même texte qu'au Jour 1.

■ Présenter la stratégie de façon formelle. La nommer – *Je trouve l'ordre chronologique* – et l'écrire sur le gabarit d'enseignement explicite vide dans la section « Nom de la stratégie » (*voir la fiche reproductible 1.1*).

■ Relire le texte du Jour 1 avec expression et fluidité.

■ En faisant des pauses et en lisant par groupes de mots, les élèves devraient « entendre » les différentes parties du récit et les mots et expressions qui marquent le déroulement de l'histoire. Il est possible de projeter le texte sur le tableau interactif afin que la classe puisse suivre la lecture.

■ Discuter avec la classe en quoi consiste cette stratégie et faire écrire la réponse dans la colonne **Quoi ?** du gabarit d'enseignement explicite.

■ Voici des questions qu'il est possible d'utiliser pour trouver le **Quoi ?** Les réponses du groupe-classe doivent ressembler autant que possible aux

Quoi ?

C'est placer toutes les parties d'une histoire en ordre, selon la progression du temps.

exemples présentés dans le gabarit d'enseignement explicite (*voir la fiche reproductible 1.10*).

– Que veut dire le mot « chronologique » ?

– Lorsque nous lisons un texte, les parties de l'histoire sont-elles habituellement placées en ordre ?

– Alors, comment s'appelle cette manière ou cette méthode de présenter les parties d'une histoire en ordre ?

Pendant

◼ Écrire au tableau des phrases tirées du texte lu aux élèves le Jour 1.

◼ Puis faire le modelage de la stratégie en présentant les phrases en désordre.

◼ Ensuite, lire l'histoire qui n'a alors plus aucun sens.

◼ En réfléchissant à voix haute, dire au groupe-classe que pour comprendre le texte, il faudrait trouver les mots-clés et les expressions qui montrent le déroulement de l'histoire.

Modelage :

« Cette histoire n'a aucun sens et je ne comprends rien.

Que puis-je faire pour remettre ces phrases dans le bon ordre ?

Je sais.

Je vais chercher les phrases du début, ensuite celles de la fin.

Pour les autres phrases, je vais chercher les mots clés et les expressions qui marquent la progression du temps.

Quels sont-ils ?

– *il était une fois, d'abord, ensuite, tout à coup, soudain, puis, enfin*

Ces mots m'aident vraiment à suivre l'ordre chronologique de l'histoire. »

◼ Avec l'aide des élèves, replacer les phrases en ordre chronologique.

Après

◼ Discuter avec la classe de l'utilité de la stratégie *Je trouve l'ordre chronologique* et de son importance à partir des deux questions suivantes :

– À quoi sert la stratégie *Je trouve l'ordre chronologique* ?

– Pourquoi cette stratégie est-elle importante ?

◼ Faire écrire la réponse dans la colonne **Pourquoi ?** du gabarit d'enseignement explicite.

◼ Les réponses du groupe-classe doivent ressembler autant que possible aux exemples présentés dans le gabarit d'enseignement explicite (*voir la fiche reproductible 1.10*).

◼ Accorder un temps d'objectivation afin de répondre aux questions ou aux commentaires des élèves au sujet des apprentissages de la journée.

Pourquoi ?

Trouver l'ordre chronologique est important pour :

• mieux comprendre un texte ;

• m'aider à situer les événements dans une histoire.

Jour 3

Situation d'enseignement	Objectif de la leçon	Matériel à préparer	Regroupement	Type d'évaluation
Lecture partagée	**Pratique guidée** de la stratégie *Je trouve l'ordre chronologique*	• Gabarits d'enseignement explicite (*voir les fiches reproductibles 1.1 et 1.10*). • Choisir trois extraits d'un conte ou d'un récit à utiliser pour les pratiques guidées. • Préparer trois séries de phrases qu'il faudra replacer en ordre chronologique (mêmes couleurs qu'au Jour 2).	Groupe-classe et quelques élèves qui participeront à la démonstration.	Évaluation **diagnostique** des habiletés des élèves à reconnaître certaines parties d'un texte et à les replacer en ordre chronologique

Avant

▣ Prendre le gabarit d'enseignement explicite (*voir la fiche reproductible 1.10*).

▣ Demandez à un élève de relire les colonnes **Quoi?** et **Pourquoi?** de la stratégie *Je trouve l'ordre chronologique*.

▣ Questionner les élèves sur ce que signifie « l'ordre chronologique » et pourquoi celui-ci est important.

▣ Demander aux élèves quelle démarche ils ont suivie pour trouver l'ordre chronologique des phrases présentées la journée d'avant ou le Jour 2.

Pendant

▣ Lire un extrait du nouveau texte avec expression et fluidité en faisant les pauses nécessaires pour permettre aux élèves de bien saisir les différentes étapes ou les différents événements présentés dans l'extrait.

▣ Afficher les phrases choisies en désordre.

▣ Demander à un ou deux élèves d'aller à l'avant de la classe afin de placer en ordre chronologique les phrases tirées du texte.

▣ Inviter ces élèves à expliquer comment ils procèdent pour replacer les phrases en ordre chronologique.

▣ Refaire cette pratique guidée au moins deux autres fois en choisissant chaque fois d'autres phrases du même récit (ou du même texte) et en demandant à d'autres élèves de replacer les phrases en ordre chronologique.

Après

▣ Présenter aux élèves chaque étape du **Comment?** du gabarit d'enseignement explicite (*voir la fiche reproductible 1.10*) en posant les questions suivantes:

– Quelle est la première chose à faire pour comprendre l'ordre d'un texte?

– Quels sont les mots-clés ou expressions qui vous aident à savoir où se situent les événements dans une histoire?

– Quelles sont les étapes à suivre si vous devez replacer un texte en ordre chronologique?

Comment?

1. Je lis le texte et je trouve des mots-clés et des expressions qui m'aident à savoir où placer les événements dans une histoire: *Il était une fois, d'abord, ensuite, tout à coup, soudain, puis, enfin.*

2. Je trouve les phrases reliées à la situation de départ.

3. Je trouve les phrases reliées à l'événement déclencheur et aux péripéties.

4. Je trouve les phrases reliées au dénouement et à la fin.

5. Je place les phrases en ordre selon les mots-clés et je relis toutes mes phrases.

- Les réponses du groupe-classe doivent ressembler autant que possible aux exemples présentés dans le gabarit d'enseignement explicite (*voir la fiche reproductible 1.10*).

- Accorder un temps d'objectivation afin de vérifier la compréhension de la stratégie à l'étude.

Jour 4

Situation d'enseignement	Objectif de la leçon	Matériel à préparer	Regroupement	Type d'évaluation
Lecture partagée	**Pratique coopérative** de la stratégie *Je trouve l'ordre chronologique*	• Gabarits d'enseignement explicite (*voir les fiches reproductibles 1.1 et 1.10*). • Choisir trois extraits d'un texte permettant l'utilisation de l'ordre chronologique pour les pratiques guidées. • Préparer trois séries de phrases qu'il faudra replacer en ordre chronologique (mêmes couleurs qu'aux Jours 2 et 3).	En dyades	**Évaluation inter-active.** Les élèves s'évaluent et évaluent leurs pairs en comparant leurs réponses et leur habileté à reconnaître certaines parties d'un texte et à les replacer en ordre chronologique.

Avant

- Relire toutes les étapes de la stratégie *Trouver l'ordre chronologique* dans le gabarit d'enseignement explicite (*voir la fiche reproductible 1.10*).

- Déterminer avec le groupe-classe que cette stratégie peut servir en toute circonstance et pour plusieurs sortes de textes.

- Faire écrire la réponse dans la colonne **Quand?**

- Faire un retour sur les pratiques guidées de la journée précédente et expliquer aux élèves qu'ils doivent faire le même genre de travail avec un texte différent (ou avec des parties différentes du texte de la journée précédente).

- Puisqu'il s'agit d'une pratique coopérative, ce travail se fait en dyades.

Pendant

- Distribuer le matériel.

- Les élèves lisent le texte.

- Les élèves utilisent leur gabarit d'enseignement explicite comme aide-mémoire pour replacer en ordre chronologique les phrases qui se trouvent dans leur sac.

- Les élèves travaillent en dyades et s'entraident.

- Circuler dans la classe et observer comment les élèves s'y prennent pour faire leur travail.

- Aider les élèves qui auraient des difficultés à appliquer la stratégie correctement.

Quand?

Je peux utiliser cette stratégie chaque fois que je veux placer des phrases en ordre selon la progression du temps.

Après

- Demander à des élèves de présenter leur texte et d'expliquer comment ils ont procédé pour replacer les phrases en ordre chronologique.

- Les élèves insèrent leur gabarit d'enseignement explicite dans leur cahier ou cartable de lecture.

- Accorder un temps d'objectivation afin de répondre aux questions ou aux commentaires des élèves au sujet des apprentissages de la journée.

Jour 5

Situation d'enseignement	Objectif de la leçon	Matériel à préparer	Regroupement	Type d'évaluation
Lecture partagée	**Pratique autonome** de la stratégie *Je trouve l'ordre chronologique*	• Court récit ou tout autre texte permettant l'utilisation de l'ordre chronologique. • Reproduire sur une feuille 8,5 po × 11 po quelques phrases de l'histoire disposées pêle-mêle. • Utiliser une autre feuille 8,5 po × 11 po sur laquelle les élèves colleront les phrases en ordre chronologique (*voir la fiche reproductible 3.2 sur le site Web*). • Ciseaux et bâtons de colle pour les élèves.	Les élèves font ce travail individuellement.	Évaluation **formative** de la stratégie *Je trouve l'ordre chronologique*

Avant

- Expliquer aux élèves qu'ils font un travail semblable à celui du Jour 4, mais qu'aujourd'hui, ils le font individuellement.

Pendant

- Expliquer aux élèves que c'est aujourd'hui que l'on fait l'évaluation formative de la stratégie *Je trouve l'ordre chronologique* (*voir les fiches reproductibles 3.1 et 3.2*).

- Distribuer le matériel et le texte (ou le livre) qui servira à l'évaluation formative.

- Demander aux élèves de lire le texte.

- Expliquer aux élèves qu'ils peuvent en tout temps utiliser leur gabarit d'enseignement explicite pour effectuer leur travail.

- Expliquer que ce travail se fait seul et sans aide.

- Dire aux élèves de relire leur travail lorsqu'ils ont fini.

- Circuler dans la classe et observer le travail des élèves.

Après

- Recueillir les évaluations formatives.

- Inviter les élèves à émettre leurs opinions au sujet de l'évaluation formative.

- Corriger les évaluations formatives à l'aide de la grille (*voir les fiches reproductibles 3.3, 3.4 et 3.5*).

- À partir des résultats observés, former les groupes (homogènes) en lecture guidée pour la semaine 2 du bloc de littératie en lecture.

- Il faut utiliser le gabarit de l'enseignement explicite chaque fois qu'une stratégie est enseignée. Le contenu change selon la stratégie, mais

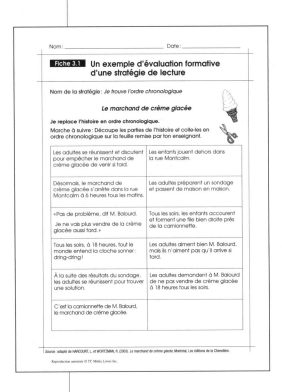

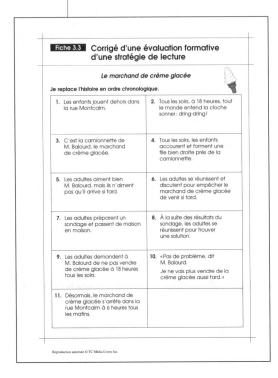

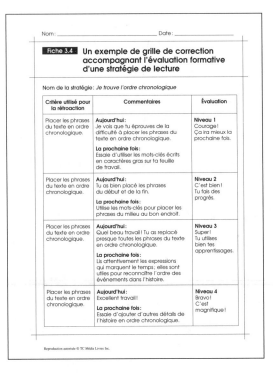

les étapes demeurent les mêmes (Quoi? Pourquoi? Comment? Quand?). Un gabarit vide pouvant être reproduit pour l'enseignement de stratégies subséquentes est à la disposition des enseignants (*voir la fiche reproductible 1.1*).

■ À partir de 8 ans, les élèves peuvent avoir un cahier ou un cartable intitulé *Moi et les stratégies de lecture*. Pour les plus jeunes, c'est à la discrétion des enseignants.

■ Il serait de mise que la deuxième période de ce bloc de littératie puisse contenir des activités ludiques portant sur l'ordre chronologique.

Voyons maintenant les composantes de la semaine 2 du bloc de littératie en lecture.

Semaine 2 du bloc de littératie en lecture

Fiche 3.5 Gabarit d'une grille accompagnant l'évaluation formative d'une stratégie

---

Stratégie utilisée : Stratégie de lecture *Je trouve l'ordre chronologique*

Étapes du processus : Prélecture, lecture

Modèles d'enseignement : Enseignement explicite et réciproque

Temps alloué à chaque séance : Avant: 15 minutes – Pendant: 30 minutes – Après: 15 minutes

Jour 6

Situation d'enseignement	Objectif de la leçon	Matériel à préparer	Regroupement	Type d'évaluation
Lecture guidée	• **Enseignement différencié** avec les élèves du **Niveau 1** dont la compréhension de la stratégie est **limitée**. • Pendant ce temps, le reste de la classe travaille dans les centres de littératie selon l'horaire de rotation déjà établi.	• Horaire de rotation des centres de littératie (*voir le tableau 2.4, page 51*). • Feuille de route pour les travaux à faire dans les centres de littératie (*voir le tableau 3.1, page 93*). • Consignes de fonctionnement (*voir la fiche reproductible 2.6 sur le site Web*). • Fiche d'autoévaluation (*voir la fiche reproductible 2.7 sur le site Web*). • Feuille de travail comportant au moins cinq phrases du texte choisi et placées dans un ordre aléatoire.	• Équipes homogènes pour les rencontres en lecture guidée • Équipes homogènes ou hétérogènes pour les centres de littératie	Évaluations **diagnostique** et **formative** de la stratégie *Je trouve l'ordre chronologique*

Avant

Un même texte peut servir durant toute la semaine de lecture guidée. Il faut alors choisir judicieusement les phrases à utiliser afin que celles-ci correspondent aux habiletés des élèves.

L'horaire des groupes homogènes de lecture guidée se déroule selon l'ordre croissant des niveaux de performance (N1 à N4), mais l'enseignant peut choisir de travailler avec des groupes hétérogènes selon un ordre différent. L'important est que chaque groupe puisse travailler avec l'enseignant durant la semaine.

Méthode :

- Présenter l'horaire de rotation des centres de littératie pour la journée.

- Demander aux élèves de consulter la feuille de route pour revoir les directives concernant les travaux à faire.

- Rappeler les consignes concernant les comportements désirés dans les centres de littératie.

- Rappeler aux élèves qu'ils doivent remplir la fiche d'autoévaluation lorsqu'ils ont fini leur travail.

- Laisser aux équipes le temps de s'installer.

Pendant

- Rencontre avec le Niveau 1 (les inviter par leur nom – Les chercheurs) dans un coin de la classe aménagé pour la lecture guidée.

- À tour de rôle, les élèves lisent une partie du texte approprié à leur niveau de performance.

- Noter la progression de la fluidité.

- Vérifier la compréhension en interrogeant le groupe au sujet du texte lu.

- Demander aux élèves d'identifier le début, le milieu et la fin du texte qu'ils viennent de lire.

- Repasser les étapes du **Comment?** du gabarit d'enseignement explicite (*voir la fiche reproductible 1.10*).

- Distribuer la feuille de travail.

- Les élèves identifient l'ordre chronologique en écrivant un numéro à côté de chaque phrase.

- Si le temps le permet, les élèves peuvent découper et coller les phrases en ordre chronologique. Dans ce cas, il faut prévoir ciseaux, colle et feuilles de papier en quantité suffisante.

- Vérifier l'exactitude des réponses.

- Discuter des choix faits par les élèves pour replacer les phrases en ordre chronologique.

Après

- Accorder un temps d'objectivation pour discuter du travail effectué dans les centres de littératie.

■ Les élèves remplissent ensuite leur fiche d'autoévaluation. Les élèves qui ont travaillé en lecture guidée avec l'enseignant remplissent eux aussi la fiche d'autoévaluation et prennent part à l'objectivation.

À partir d'ici, la démarche est presque toujours la même pour les groupes de lecture guidée et les centres de littératie.

Jour 7

Situation d'enseignement	Objectif de la leçon	Matériel à préparer	Regroupement	Type d'évaluation
Lecture guidée	**Enseignement différencié** avec les élèves du **Niveau 2** dont la compréhension de la stratégie est **partielle.** Pendant ce temps, le reste de la classe travaille dans les centres de littératie selon l'horaire de rotation déjà établi.	• Horaire de rotation des centres de littératie (*voir le tableau 2.4, page 51*). • Feuille de route pour les travaux à faire dans les centres de littératie (*voir le tableau 3.1, page 93*). • Consignes de fonctionnement (*voir la fiche reproductible 2.6 sur le site Web*). • Fiche d'autoévaluation (*voir la fiche reproductible 2.7 sur le site Web*) • Feuille de travail comportant au moins six phrases du texte choisi et placées dans un ordre aléatoire.	• Équipes homogènes pour les rencontres en lecture guidée • Équipes homogènes ou hétérogènes pour les centres de littératie	Évaluations **diagnostique** et **formative** de la stratégie *Je trouve l'ordre chronologique*

Avant – Pendant – Après

Même méthode que le Jour 6 ; seul le niveau de difficulté change.

Jour 8

Situation d'enseignement	Objectif de la leçon	Matériel à préparer	Regroupement	Type d'évaluation
Lecture guidée	**Enseignement différencié** avec les élèves du **Niveau 3** dont la compréhension de la stratégie est **juste.** Pendant ce temps, le reste de la classe travaille dans les centres de littératie selon l'horaire de rotation déjà établi.	• Horaire de rotation des centres de littératie (*voir le tableau 2.4, page 51*). • Feuille de route pour les travaux à faire dans les centres de littératie (*voir le tableau 3.1, page 93*). • Consignes de fonctionnement (*voir la fiche reproductible 2.6 sur le site Web*). • Fiche d'autoévaluation (*voir la fiche reproductible 2.7 sur le site Web*). • Feuille de travail comportant au moins sept phrases du texte choisi et placées dans un ordre aléatoire.	• Équipes homogènes pour les rencontres en lecture guidée • Équipes homogènes ou hétérogènes pour les centres de littératie	Évaluations **diagnostique** et **formative** de la stratégie *Je trouve l'ordre chronologique*

Avant – Pendant – Après

Même méthode que le Jour 6 ; seul le niveau de difficulté change.

Jour 9

Situation d'enseignement	Objectif de la leçon	Matériel à préparer	Regroupement	Type d'évaluation
Lecture guidée	**Enseignement différencié** avec les élèves du **Niveau 4** dont la compréhension de la stratégie est **au-delà de la norme**. Pendant ce temps, le reste de la classe travaille dans les centres de littératie selon l'horaire de rotation déjà établi.	• Horaire de rotation des centres de littératie (*voir le tableau 2.4, page 51*). • Feuille de route pour les travaux à faire dans les centres de littératie (*voir le tableau 3.1, page 93*). • Consignes de fonctionnement (*voir la fiche reproductible 2.6 sur le site Web*). • Fiche d'autoévaluation (*voir la fiche reproductible 2.7 sur le site Web*). • Feuille de travail comportant au moins huit phrases du texte choisi et placées dans un ordre aléatoire.	• Équipes homogènes pour les rencontres en lecture guidée • Équipes homogènes ou hétérogènes pour les centres de littératie	Évaluations **diagnostique** et **formative** de la stratégie *Je trouve l'ordre chronologique*

Avant – Pendant – Après

Même méthode que le Jour 6 ; seul le niveau de difficulté change.

Pour les classes de plus de 24 élèves, un 5e groupe (Niveaux combinés) reçoit de l'enseignement guidé, ce qui demande l'organisation d'un 5e centre de littératie (*voir le chapitre 2*). La rencontre en enseignement guidé se déroule de la même façon qu'avec les autres niveaux (un texte approprié pour les deux niveaux) et la correction des travaux faits en centres de littératie a lieu durant la deuxième période du bloc de littératie.

Jour 10

Situation d'enseignement	Objectif de la leçon	Matériel à préparer	Regroupement	Type d'évaluation
Lecture guidée	**Démonstration des apprentissages** reliés à la stratégie *Je trouve l'ordre chronologique*	• Évaluation sommative (fiches reproductibles 3.6, 3.7, 3.9 et 3.10 en nombre suffisant) • Ciseaux et bâtons de colle pour les élèves	Les élèves font l'évaluation individuellement.	Évaluation **sommative** de la stratégie *Je trouve l'ordre chronologique*

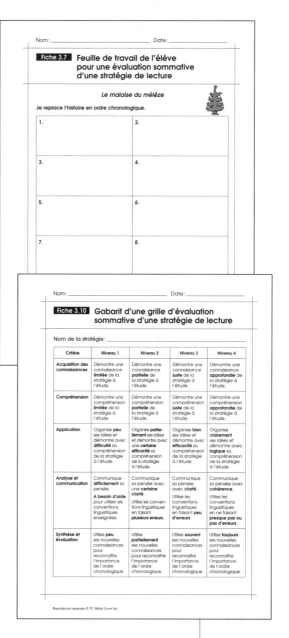

Fiche 3.6 Un exemple d'évaluation sommative d'une stratégie de lecture

Nom de la stratégie : *Je trouve l'ordre chronologique*

Le malaise du mélèze

Je replace l'histoire en ordre chronologique.

Marche à suivre : Découpe toutes les parties de l'histoire et colle-les en ordre chronologique sur la deuxième page de ton évaluation.

Enfin! Le mélèze est à l'aise.	Les arbres découvrent que des aiguilles poussent aux branches du petit arbre.
Sur la pelouse, on vient de planter un petit arbre.	Les conifères le veulent dans leur famille, car il a des aiguilles.
Le petit mélèze se sent observé pendant tout l'été.	Tous se mettent d'accord sur un point. Le nouveau est un mélèze.
Un matin d'automne, le mélèze se réveille tout doré.	Les feuillus le désirent avec eux, car il change de couleur et s'apprête à perdre ses aiguilles.

Fiche 3.7 Feuille de travail de l'élève pour une évaluation sommative d'une stratégie de lecture

Le malaise du mélèze

Je replace l'histoire en ordre chronologique.

1.	2.
3.	4.
5.	6.
7.	8.

Fiche 3.9 Des exemples de questions pour vérifier la compréhension de la stratégie de lecture *Je trouve l'ordre chronologique*

Le malaise du mélèze

Marche à suivre : Réponds aux questions et aux explications demandées en faisant des phrases complètes, s'il y a lieu.

1. (Acquisition des connaissances) Place les événements de cette histoire en ordre chronologique.

2. (Compréhension) Que veut dire « l'ordre chronologique » ?

3. (Application) Ordonne les événements de cette histoire en trois groupes :

Le début :

Le milieu :

La fin :

Fiche 3.10 Gabarit d'une grille d'évaluation sommative d'une stratégie de lecture

Nom de la stratégie :

Critère	Niveau 1	Niveau 2	Niveau 3	Niveau 4
Acquisition des connaissances	Démontre une connaissance **limitée** de la stratégie à l'étude.	Démontre une connaissance **partielle** de la stratégie à l'étude.	Démontre une connaissance **juste** de la stratégie à l'étude.	Démontre une connaissance **approfondie** de la stratégie à l'étude.
Compréhension	Démontre une compréhension **limitée** de la stratégie à l'étude.	Démontre une compréhension **partielle** de la stratégie à l'étude.	Démontre une compréhension **juste** de la stratégie à l'étude.	Démontre une compréhension **approfondie** de la stratégie à l'étude.
Application	Organise **peu** ses idées et démontre avec **difficulté** sa compréhension de la stratégie à l'étude.	Organise **partiellement** ses idées et démontre avec une **certaine efficacité** sa compréhension de la stratégie à l'étude.	Organise **bien** ses idées et démontre avec **efficacité** sa compréhension de la stratégie à l'étude.	Organise **clairement** ses idées et démontre avec **logique** sa compréhension de la stratégie à l'étude.
Analyse et communication	Communique **difficilement** sa pensée. **A besoin d'aide** pour utiliser les conventions linguistiques enseignées.	Communique sa pensée avec une **certaine clarté**. Utilise les conventions linguistiques en faisant **plusieurs erreurs**.	Communique sa pensée avec clarté. Utilise les conventions linguistiques en faisant **peu** d'erreurs.	Communique sa pensée avec **cohérence**. Utilise les conventions linguistiques en ne faisant **presque pas ou pas d'erreurs**.
Synthèse et évaluation	Utilise **peu** ses nouvelles connaissances pour reconnaître l'importance de l'ordre chronologique.	Utilise **partiellement** ses nouvelles connaissances pour reconnaître l'importance de l'ordre chronologique.	Utilise **souvent** ses nouvelles connaissances pour reconnaître l'importance de l'ordre chronologique.	Utilise **toujours** ses nouvelles connaissances pour reconnaître l'importance de l'ordre chronologique.

Avant

- Expliquer aux élèves qu'aujourd'hui, c'est l'évaluation sommative de la stratégie *Je trouve l'ordre chronologique*.

- Rappeler la démarche :

Étape 1

- Lire le texte ;

- découper les phrases et les placer en ordre chronologique ;

- relire les phrases et vérifier le sens ;

- coller les phrases.

Étape 2

– Lire et répondre aux questions et aux explications demandées: Place les événements de cette histoire en ordre chronologique. Que veut dire « l'ordre chronologique »? Ordonne les événements de cette histoire en trois groupes: le début, le milieu, la fin. Explique comment tu fais pour trouver l'ordre chronologique dans une histoire. Selon toi, pourquoi l'ordre chronologique est-il important dans une histoire?

▧ Distribuer le matériel.

▧ Rappeler aux élèves qu'ils ne doivent pas utiliser leur gabarit d'enseignement explicite; s'il y en a un dans la classe, le retirer.

▧ Rappeler aux élèves qu'ils doivent relire leur travail avant de le remettre.

Pendant

▧ Circuler dans la classe et observer le travail des élèves.

Après

▧ Recueillir les évaluations sommatives.

▧ Objectivation: inviter les élèves à émettre leurs opinions au sujet de l'évaluation sommative.

À noter que les résultats des évaluations sommatives doivent être communiqués aux élèves et à leurs parents, et consignés dans un portfolio d'évaluation de l'élève.

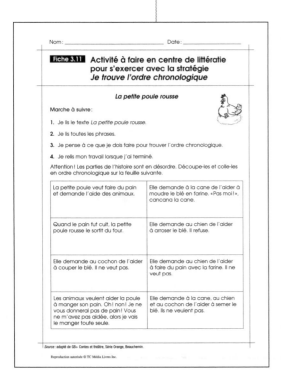

Les groupes homogènes de lecture guidée ainsi que les centres de littératie qui les accompagnent peuvent varier d'une stratégie à l'autre; cela dépend du niveau de difficulté de la stratégie à l'étude. Ainsi, les élèves des Niveaux 3 et 4 pour l'étude de la stratégie *Je trouve l'ordre chronologique* feront peut-être partie des Niveaux 2 et 3 lorsque viendra le temps de s'approprier la stratégie *Je comprends les expressions figurées et le sens des messages*. Ce sont les évaluations formatives du Jour 5 qui déterminent la composition des groupes et rares sont les élèves qui passent toute l'année dans le même niveau d'enseignement guidé.

Nous suggérons un portfolio pour les centres de littératie afin que les élèves puissent ranger leurs travaux. Ceux-ci ne sont pas tous reliés à la stratégie à l'étude, mais il est bon de les ranger ensemble puisque ce sont les travaux effectués en centres de littératie.

Nom : _____

Semaine du : _____

Stratégie à l'étude : *Je trouve l'ordre chronologique*

Travaux à faire	
Travaux à exécuter	**Matériel requis et directives**
Je m'amuse avec le mur de mots. Pour cette activité, les élèves doivent avoir une liste d'environ 10 à 15 mots du mur de mots, dont les lettres ont été écrites dans le désordre. 	**Ce dont tu as besoin :** • ta fiche de mots mélangés ; • ton crayon et ta gomme à effacer. **Marche à suivre :** • tu ne peux pas regarder le mur de mots pendant que tu fais cette activité ; • replace les lettres dans le bon ordre pour pouvoir lire et écrire les mots correctement ; • écris ces mots en ordre alphabétique.
Je m'exerce avec la stratégie. Pour cette activité, les élèves doivent avoir un texte dont les phrases ont été placées de façon aléatoire et une feuille pour coller les phrases en ordre chronologique (*voir l'exemple de la fiche reproductible 3.11*). 	**Ce dont tu as besoin :** • tes ciseaux ; • ton bâton de colle ; • le texte *La petite poule rousse*. **Marche à suivre :** • lis toutes les phrases du texte ; • en te servant de ton gabarit d'enseignement explicite, décide quel est l'ordre chronologique de ces phrases ; • découpe et colle les phrases dans le bon ordre sur ta feuille *Je replace l'histoire en ordre chronologique*.

Activité de lecture
Lire et réagir à un texte
 	
Pour cette activité, les élèves doivent relire le texte *La petite poule rousse* qu'ils ont placé en ordre chronologique et réagir de façon personnelle à ce texte en s'aidant des questions suggérées.

	Ce dont tu as besoin :
	• ton cahier de lecture et ton crayon ;
	• une feuille pour écrire les réponses aux questions.
	Marche à suivre :
	• relis ton histoire *La petite poule rousse* ;
	• écris ce que tu penses de cette histoire à l'aide des questions qui suivent :
	  – Est-ce que les autres animaux auraient dû aider la petite poule ?
	  – Peux-tu nommer les étapes que l'on doit suivre pour avoir du bon pain ?
	  – Est-ce important d'aider les autres et pourquoi ?
	  – Qu'est-ce que tu as aimé le plus dans cette histoire ?

▷

Étude de mots

Trouver des mots nouveaux (activité supplémentaire pour les classes comptant plus de 24 élèves)

Pour cette activité, les élèves doivent utiliser un texte ou un manuel de sciences dont une section est consacrée aux différents types d'arbres présents dans la forêt canadienne.

Ce dont tu as besoin :

- une feuille pour écrire la définition des mots nouveaux ;
- un manuel de sciences ou d'études sociales.

Marche à suivre :

- trouve 10 noms d'arbres dans ton manuel de sciences ;
- trouve la signification et fais un dessin pour chacun de ces noms d'arbres ;
- échange ton cahier avec l'ami à ta droite et comparez votre travail de recherche.

Je suis en lecture guidée avec mon enseignant.

Ce dont tu as besoin :

- tes ciseaux ;
- ton bâton de colle.

Marche à suivre :

- tu participes à la discussion avec ton enseignant ;
- tu collabores avec tes coéquipiers pour remettre les parties de l'histoire en ordre chronologique ;
- tu discutes de tes apprentissages.

D'autres exemples de centres de littératie (*voir l'annexe F*) et des gabarits vides (*voir les fiches reproductibles 3.12 et 3.13*) pour préparer les travaux à faire sont disponibles pour les enseignants.

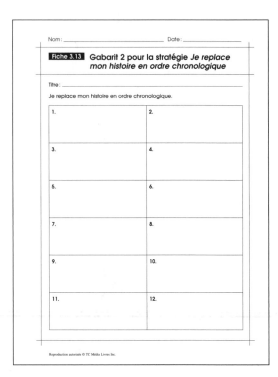

Tableau 3.2	Un exemple de grille d'évaluation sommative d'une stratégie de lecture : *Je trouve l'ordre chronologique* (élèves de 7 et 8 ans)

Critère	Niveau 1	Niveau 2	Niveau 3	Niveau 4
Acquisition des connaissances Place les événements de cette histoire en ordre chronologique.	Démontre une connaissance **limitée** de la stratégie à l'étude.	Démontre une connaissance **partielle** de la stratégie à l'étude.	Démontre une connaissance **juste** de la stratégie à l'étude.	Démontre une connaissance **approfondie** de la stratégie à l'étude.
Compréhension Que veut dire l'ordre chronologique ?	Démontre une compréhension **limitée** de la stratégie à l'étude.	Démontre une compréhension **partielle** de la stratégie à l'étude.	Démontre une compréhension **juste** de la stratégie à l'étude.	Démontre une compréhension **approfondie** de la stratégie à l'étude.
Application Classifie les événements de cette histoire en trois groupes : le début, le milieu et la fin.	Organise **peu** ses idées et démontre avec **difficulté** l'utilisation de l'ordre chronologique.	Organise **partiellement** ses idées et démontre avec une **certaine efficacité** l'utilisation de l'ordre chronologique.	Organise **bien** ses idées et démontre avec **efficacité** l'utilisation de l'ordre chronologique.	Organise **clairement** ses idées et démontre avec **logique** l'utilisation de l'ordre chronologique.
Analyse et communication Explique comment tu fais pour trouver l'ordre chronologique dans un texte.	Communique **difficilement** sa pensée. **A besoin d'aide** pour utiliser les conventions linguistiques enseignées.	Communique sa pensée avec une **certaine clarté**. Utilise les conventions linguistiques en faisant **plusieurs erreurs**.	Communique sa pensée avec **clarté**. Utilise les conventions linguistiques en faisant **peu d'erreurs**.	Communique sa pensée avec **cohérence**. Utilise les conventions linguistiques en ne faisant **presque pas ou pas d'erreurs**.
Synthèse et évaluation Selon toi, pourquoi l'ordre chronologique est-il important dans une histoire ?	Utilise **peu** ses nouvelles connaissances pour reconnaître l'importance de l'ordre chronologique.	Utilise **partiellement** ses nouvelles connaissances pour reconnaître l'importance de l'ordre chronologique.	Utilise **souvent** ses nouvelles connaissances pour reconnaître l'importance de l'ordre chronologique.	Utilise **toujours** ses nouvelles connaissances pour reconnaître l'importance de l'ordre chronologique.

Récapitulatif

Un exemple de déroulement d'un bloc de littératie pour l'enseignement d'une stratégie de lecture

Semaine 1 Enseignement explicite d'une stratégie de compréhension en lecture	
Jour 1	**Lecture modelée aux élèves :** l'enseignant anime la lecture d'un texte devant la classe en utilisant les étapes suivantes. **Avant** Survol, intention, prédictions, colonnes S et le V du tableau SVA, mur de mots **Pendant** Lecture du texte, modelage implicite de la stratégie choisie **Après** Confirmation des prédictions, réaction au texte, colonne A du tableau SVA ▷

	Semaine 1 Enseignement explicite d'une stratégie de compréhension en lecture (*suite*)
Jour 2	**Lecture partagée: modelage** L'enseignant fait la démonstration de la stratégie devant la classe; colonnes Quoi? et Pourquoi? du gabarit d'enseignement explicite.
Jour 3	**Lecture partagée: pratiques guidées** L'enseignant fait la démonstration de la stratégie avec quelques élèves devant la classe; colonne Comment? du gabarit d'enseignement explicite.
Jour 4	**Lecture partagée: pratique coopérative** Les élèves s'exercent avec la stratégie (enseignement réciproque en dyades); colonne Quand? du gabarit d'enseignement explicite.
Jour 5	**Lecture partagée: pratique autonome** Évaluation formative individuelle de la stratégie à l'étude – voir le modèle (*fiche reproductible 3.1*) et la grille de correction (*fiches reproductibles 3.4 et 3.5*)

Fiche 3.8 Corrigé d'une évaluation sommative d'une stratégie de lecture

	Semaine 2 Enseignement différencié d'une stratégie de compréhension en lecture
Jour 6	**Lecture guidée** Rencontre du groupe d'élèves du Niveau 1 avec texte approprié; centres de littératie pour les autres élèves; objectivation
Jour 7	**Lecture guidée** Rencontre du Niveau 2 avec texte approprié; centres de littératie pour les autres élèves; objectivation
Jour 8	**Lecture guidée** Rencontre du Niveau 3 avec texte approprié; centres de littératie pour les autres élèves; objectivation
Jour 9	**Lecture guidée** Rencontre du Niveau 4 avec texte approprié; centres de littératie pour les autres élèves; objectivation
Jour 10	**Lecture guidée** • **Évaluation sommative** de la stratégie à l'étude – voir le modèle (*fiche reproductible 3.6*) et la grille de correction (*tableau 3.2 et fiche reproductible 3.8*) • Correction des travaux faits durant les centres de littératie

La lecture est à la fois un acte personnel et social qui exige des compétences de la part du lecteur. Ces compétences nécessitent la mise en place d'un enseignement exemplaire. Le bloc de littératie en lecture en fait certainement partie.

Chapitre **4**

L'enseignement d'un bloc de littératie en écriture

Au même titre que les stratégies de lecture, les stratégies d'écriture s'insèrent dans le bloc de littératie à raison d'une stratégie tous les 10 jours. La première semaine est consacrée à l'enseignement explicite et la deuxième à l'enseignement guidé. En faisant la lecture du présent chapitre, le lecteur constatera la similitude entre les blocs de littératie de lecture (*voir le chapitre 3*) et d'écriture. Cette similitude dans le déroulement des blocs d'enseignement est désirée dans le but de créer un environnement d'apprentissage cohérent, quelle que soit la stratégie enseignée.

Les stratégies d'écriture correspondent aux différentes étapes du processus d'écriture. C'est donc dire qu'elles seront enseignées explicitement dans l'ordre suivant : planification, rédaction de l'ébauche, révision, correction, publication. La stratégie *Dresser un plan* que nous présentons ici se situe à l'étape de la planification d'un projet d'écriture. Nous considérons que cette stratégie est primordiale, car elle doit amener l'élève à cibler correctement son intention d'écriture et sa recherche d'informations. Il va sans dire que la stratégie *Trouver des idées* doit précéder la stratégie *Dresser un plan* afin d'assurer une planification juste du sujet à rédiger.

Comme pour la première semaine du bloc de littératie en lecture, nous retrouvons dans la première semaine du bloc de littératie en écriture :

- l'enseignement explicite et réciproque de la stratégie d'écriture ;

- le modelage et les pratiques guidées ;

- le gabarit d'enseignement explicite de la stratégie à l'étude (*voir la fiche reproductible 1.34*) ;

- l'évaluation formative et la grille qui lui est propre ;

- l'enseignement guidé et les centres de littératie ;

- l'évaluation sommative et la grille d'évaluation individualisée qui l'accompagne.

Fiche 1.34 **Dresser un plan**
Stratégie d'écriture

Quoi ?	Pourquoi ?	Comment ?	Quand ?
C'est regrouper les idées que j'ai trouvées sur le sujet à rédiger et choisir celles que je veux garder.	Dresser un plan est important pour : • mieux organiser les idées que je veux développer ; • décider quelles idées je placerai au début, au milieu et à la fin de mon texte ; • faciliter la rédaction de mon ébauche.	1. D'abord, je regroupe mes idées par ordre d'importance. 2. Ensuite, je sélectionne les idées qui feront partie de mon texte : début (introduction) ; milieu (développement) ; fin (conclusion). 3. Puis, je relis les idées que j'ai choisies et je dresse mon plan.	Je peux utiliser cette stratégie quand je dresse un plan à l'étape de la planification.

Source : adapté du MINISTÈRE DE L'ÉDUCATION DE L'ONTARIO (2008). *Guide d'enseignement efficace en matière de littératie de la 4ᵉ à la 6ᵉ année*, Fascicule 7, Toronto, Ministère de l'Éducation de l'Ontario.

Le bloc de littératie en écriture tel que décrit dans le présent chapitre cible la démarche et les contenus de la première période du bloc de littératie. Le temps alloué aux étapes avant-pendant-après peut être modifié au besoin. L'enseignement d'une stratégie peut débuter n'importe quel jour de la semaine, mais nous suggérons le lundi puisque, de cette façon, les deux semaines du bloc de littératie s'enchaînent facilement.

En ce qui concerne l'écriture guidée, l'enseignant peut choisir de travailler uniquement avec les élèves dont l'écriture représente un défi plus marqué. Toutefois, même s'ils sont plus autonomes, les élèves plus forts aiment bien, eux aussi, un temps de rencontre avec l'enseignant.

Les sujets de rédaction choisis pour l'écriture guidée doivent être appropriés à chacun des niveaux de performance des élèves et à leur compréhension de la stratégie à l'étude. Enfin, seules les stratégies d'écriture que les élèves ne connaissent pas font l'objet d'un enseignement explicite. Les autres peuvent être révisées au moment opportun.

Nous encourageons l'utilisation d'un cahier *Les stratégies d'écriture et moi*. Toutefois, c'est aux enseignants que revient cette décision.

Voyons maintenant les composantes de la semaine 1 du bloc de littératie en écriture.

Semaine 1 du bloc de littératie en écriture

Stratégie utilisée : Stratégie d'écriture *Dresser un plan*

Étape du processus : Planification

Modèles d'enseignement : Enseignement explicite et réciproque

Temps alloué à chaque séance : Avant : 15 minutes – Pendant : 30 minutes – Après : 15 minutes

Jour 1

Situation d'enseignement	Objectif de la leçon	Matériel à préparer	Regroupement	Type d'évaluation
Écriture modelée	Plaisir d'écrire et **introduction** à la stratégie *Dresser un plan*	Constellation (*voir les fiches reproductibles 4.1 et 4.2 sur le site Web*)	Groupe-classe	Évaluation **diagnostique** des connaissances des élèves au sujet de la stratégie *Dresser un plan*

Avant

Matériel : Une constellation projetée au tableau interactif

Méthode :

- L'enseignant annonce aux élèves du groupe qu'aujourd'hui, ils vont lire le plan d'une rédaction portant sur les animaux en voie de disparition.

- L'enseignant exprime ses pensées à voix haute et fait un modelage devant le groupe-classe : « Je veux écrire un texte sur les animaux en voie de disparition. J'ai trouvé beaucoup d'idées hier alors je vais les écrire tout de suite. De cette manière j'aurai rapidement terminé le plan de ma rédaction. »

- L'enseignant présente les idées du plan dans un ordre aléatoire :

    - La coupe forestière excessive et le manque de végétation naturelle sont d'autres menaces pour la survie de certains animaux, qui risquent de disparaître.

    - À la suite de ma recherche, j'ai trouvé que le putois d'Amérique et le crotale des bois sont disparus entre 1937 et 1941.

    - Il faut protéger les habitats aquatiques et terrestres.

    - La chasse, la pêche, la pollution de l'air et de l'eau sont des causes de la disparition de certains animaux.

    - Certaines espèces en voie de disparition sont : la loutre de mer, le faucon pèlerin, le béluga et la chouette tachetée.

    - La destruction des habitats est la cause de la disparition de certains animaux.

    - Le Fonds mondial pour la nature et le Service canadien de la faune peuvent nous fournir beaucoup de renseignements sur les animaux en voie de disparition.

- L'enseignant questionne les élèves :

    - « Comment trouvez-vous le plan de ma rédaction ? »

    - « Est-ce facile à lire ? »

    - « Comprenez-vous comment sera rédigé mon texte ? »

- Les élèves indiquent qu'ils ne le comprennent pas tellement et que les idées sont pêle-mêle.

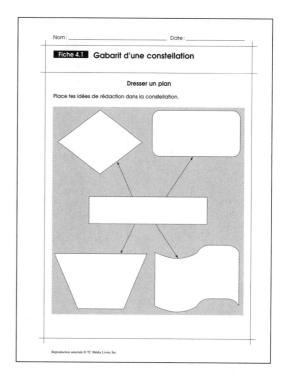

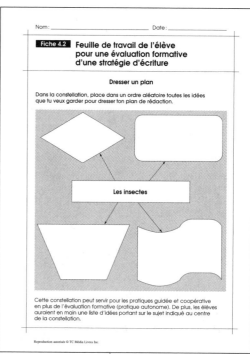

Pendant

Matériel : Une constellation projetée au tableau interactif

Méthode :

- L'enseignant choisit et replace les idées du plan en indiquant comment faire.

- L'enseignant réfléchit à haute voix : « En relisant mon travail, j'avoue que le plan de ma rédaction n'est pas très clair. Comment pourrais-je l'améliorer ? Je crois qu'il faudrait d'abord placer les idées en ordre de présentation. Quelles idées iraient mieux au début ? Et quelles idées iraient mieux à la fin ? Les autres idées peuvent être placées au milieu, par ordre d'importance. Mon plan serait plus facile à comprendre. Et puis, il y a peut-être trop d'idées aussi. Je ne suis pas obligé de garder toutes les idées que j'ai trouvées. »

▥ L'enseignant replace les idées dans un ordre cohérent :

– Certaines espèces en voie de disparition sont : la loutre de mer, le faucon pèlerin, le béluga et la chouette tachetée.

– La chasse, la pêche, la pollution de l'air et de l'eau sont des causes de la disparition de certains animaux.

– La coupe forestière excessive et le manque de végétation naturelle sont d'autres menaces pour la survie de certains animaux, qui risquent alors de disparaître.

– Il faut protéger les habitats aquatiques et terrestres.

▥ L'enseignant dit : « Voilà qui est beaucoup mieux. Mon plan est clair maintenant. Il y a moins d'idées, mais je comprends mieux comment faire ma rédaction. Qu'en pensez-vous ? »

Après

▥ Accorder un temps d'objectivation afin que les élèves puissent faire part de leur point de vue sur le plan rédigé par l'enseignant.

▥ À titre d'exemple, voici quelques questions :

– Est-ce important de faire appel à mes connaissances personnelles au moment de préparer un plan de rédaction ?

– Dois-je garder toutes les idées que j'ai trouvées lorsque je fais mon plan ?

▥ Les élèves peuvent réagir et suggérer d'autres idées pour le plan, mais il faut limiter les interruptions durant la démonstration de la stratégie.

Jour 2

Situation d'enseignement	Objectif de la leçon	Matériel à préparer	Regroupement	Type d'évaluation
Écriture partagée	**Modelage** de la stratégie *Dresser un plan*	• Gabarits d'enseignement explicite (*voir les fiches reproductibles 1.1 et 1.34*) • Grandes feuilles de papier ou tableau interactif • Constellation (*voir les fiches reproductibles 4.1 et 4.2 sur le site Web*)	Groupe-classe	Évaluation **diagnostique** des connaissances des élèves au sujet de la stratégie *Dresser un plan*

Avant

◼ Présenter la stratégie de façon formelle. La nommer – *Dresser un plan* – et demander aux élèves de l'écrire sur le gabarit d'enseignement explicite vide dans la section « Nom de la stratégie » (*voir la fiche reproductible 1.1*).

◼ Discuter avec la classe afin de préciser en quoi consiste cette stratégie et faire écrire la réponse dans la colonne **Quoi?** du gabarit d'enseignement explicite. La réponse du groupe-classe doit ressembler autant que possible à l'exemple présenté dans le gabarit d'enseignement explicite (*voir la fiche reproductible 1.34*).

Pendant

Matériel: Une constellation projetée au tableau interactif

Méthode:

◼ Faire un modelage de la stratégie *Dresser un plan* à partir d'un sujet d'écriture précis (par exemple: Les animaux en captivité) mais, cette fois, avec la participation des élèves. L'exemple utilisé ici est celui d'un texte informatif. Un texte narratif peut aussi servir pour le modelage.

◼ Le modelage doit présenter des pistes de recherche d'idées et d'informations pour planifier le projet d'écriture *Les animaux en captivité*, par exemple:

– souvenir d'une visite au zoo;

– films;

– reportages et documentaires à la télévision;

– recherches dans des livres et des magazines;

– entrevues avec des personnes responsables de zoos et de ménageries d'animaux;

– réflexions personnelles sur le sujet.

◼ Le modelage doit aussi présenter l'importance:

– de regrouper les idées sélectionnées selon la présentation désirée;

– de choisir les idées qui feront partie de l'introduction (le début) et celles qui feront partie de la conclusion (la fin).

Les questions et réponses qui suivent peuvent aider lors du Jour 2 de l'enseignement explicite de la stratégie *Dresser un plan*.

◼ Est-ce que je dois garder toutes les idées que j'ai trouvées?

Non, je peux en laisser de côté.

◼ De quelle manière dois-je regrouper mes idées?

Pour préparer mon plan, je regroupe les idées que je veux garder, en les classant en ordre d'importance. Celles qui vont dans l'introduction, celles qui font partie du développement et celles qui vont dans la conclusion.

Quoi?

C'est regrouper les idées que j'ai trouvées sur le sujet à rédiger et choisir celles que je veux garder.

■ L'enseignant replace les idées dans la constellation :

Les animaux en captivité

1ᵉʳ groupe d'idées placées au début (introduction) :

– souvenir d'une visite au zoo ;

– photos, vidéos.

2ᵉ groupe d'idées placées au milieu (développement) :

– films ;

– reportages et documentaires à la télévision.

3ᵉ groupe d'idées placées à la fin (conclusion) :

– entrevues avec des personnes responsables de zoos et de ménageries d'animaux ;

– recherches dans des livres et des magazines ;

– réflexions personnelles sur le sujet.

Demander au groupe-classe d'écrire ce modèle de plan dans leur constellation (*voir l'exemple plus loin*).

Après

■ Accorder un temps d'objectivation pour discuter des différentes manières de sélectionner et d'organiser les informations recueillies au moment de planifier une rédaction.

■ Discuter avec la classe de l'intérêt de la stratégie *Dresser un plan* et de son importance, et faire écrire la réponse dans la colonne **Pourquoi ?** du gabarit d'enseignement explicite. La réponse du groupe-classe devrait ressembler autant que possible à l'exemple présenté dans le gabarit d'enseignement explicite (*voir la fiche reproductible 1.34*).

Pourquoi ?

Dresser un plan est important pour :
- mieux organiser les idées que je veux développer ;
- décider quelles idées je placerai au début, au milieu et à la fin de mon texte ;
- faciliter la rédaction de mon ébauche.

Jour 3

Situation d'enseignement	Objectif de la leçon	Matériel à préparer	Regroupement	Type d'évaluation
Écriture partagée	**Pratique guidée** de la stratégie *Dresser un plan*	• Gabarits d'enseignement explicite (*voir les fiches reproductibles 1.1 et 1.34*) • Grandes feuilles de papier ou tableau interactif • Constellation (*voir les fiches reproductibles 4.1 et 4.2 sur le site Web*)	Groupe-classe et quelques élèves pour participer à la démonstration	Évaluation **diagnostique** des habiletés des élèves à générer des idées pour dresser un plan

Avant

■ Prendre le gabarit d'enseignement explicite (*voir la fiche reproductible 1.34*) et revoir les colonnes **Quoi ?** et **Pourquoi ?** de la stratégie *Dresser un plan*.

Pendant

- Placer au tableau interactif le nom d'un sujet de rédaction (par exemple : La chasse à l'ours polaire) ainsi qu'une liste d'idées sur le sujet.

- Demander à un ou deux élèves de venir à l'avant de la classe pour regrouper les idées suggérées en ordre d'importance.

- Demander à un ou deux autres élèves de venir à l'avant de la classe pour choisir les idées à retenir pour la rédaction.

- Inviter un ou deux autres élèves à venir à l'avant de la classe pour décider des idées à retenir pour l'introduction et la conclusion.

- Accompagner les élèves dans cette démarche en insistant sur les expressions « regrouper les idées en ordre d'importance » et « choisir les idées qui feront partie du plan ».

- Refaire cette pratique guidée (au besoin) en choisissant chaque fois un sujet de rédaction différent et un autre groupe d'élèves pour venir à l'avant de la classe faire la démonstration avec l'enseignant.

Comment ?

1. D'abord, je regroupe mes idées par ordre d'importance.

2. Ensuite, je sélectionne les idées qui feront partie de mon texte : début (introduction) ; milieu (développement) ; fin (conclusion).

3. Puis, je relis les idées que j'ai choisies et je dresse mon plan.

Après

- Demander aux élèves de nommer les étapes à suivre pour faire un plan.

- Compléter la colonne **Comment ?** du gabarit d'enseignement explicite. Les réponses du groupe-classe doivent ressembler autant que possible à l'exemple présenté dans le gabarit d'enseignement explicite (*voir la fiche reproductible 1.34*).

- Accorder un temps d'objectivation pour discuter des étapes à suivre pour planifier une rédaction.

Jour 4

Situation d'enseignement	Objectif de la leçon	Matériel à préparer	Regroupement	Type d'évaluation
Écriture partagée	**Pratique coopérative** de la stratégie *Dresser un plan*	• Gabarits d'enseignement explicite (*voir les fiches reproductibles 1.1 et 1.34*) • Constellation (*voir les fiches reproductibles 4.1 et 4.2 sur le site Web*) • Feuilles lignées à trois trous pour écrire le plan	En dyades	Évaluation **interactive** de l'utilisation des étapes requises pour dresser un plan. Les élèves s'évaluent et évaluent leurs pairs.

Avant

- Relire toutes les étapes de la stratégie *Dresser un plan* dans le gabarit d'enseignement explicite (*voir la fiche reproductible 1.34*).

- Déterminer avec le groupe-classe à quel moment cette stratégie est utilisée et faire écrire la réponse dans la colonne **Quand ?**

- Faire un retour sur les pratiques guidées de la journée précédente et expliquer aux élèves qu'ils doivent faire le même genre de travail en dyades.

Pendant

■ Écrire au tableau interactif une série d'idées portant sur un sujet de rédaction (par exemple : Les habitats menacés).

■ Expliquer que le travail consiste à :

– regrouper les idées selon leur ordre d'importance dans une constellation fournie par l'enseignant ;

– dresser le plan de cette rédaction sur une feuille lignée à trois trous en prenant soin de garder des idées pour l'introduction et d'autres pour le développement et la conclusion.

■ Inviter le groupe-classe à utiliser le gabarit d'enseignement explicite de la stratégie *Dresser un plan* (*voir la fiche reproductible 1.34*) pour en suivre correctement les étapes.

Après

■ Accorder un temps d'objectivation pour discuter du travail fait en dyades.

Jour 5

Situation d'enseignement	Objectif de la leçon	Matériel à préparer	Regroupement	Type d'évaluation
Écriture partagée	**Pratique autonome** de la stratégie *Dresser un plan*	• Constellation (*voir les fiches reproductibles 4.1 et 4.2 sur le site Web*) • Copies de l'évaluation formative en nombre suffisant (*voir les fiches reproductibles 4.3 et 4.4 sur le site Web*) • Textes de référence permettant aux élèves de rechercher des informations sur le sujet de la rédaction	Les élèves font ce travail individuellement.	Évaluation **formative** de la stratégie *Dresser un plan*

Avant

Matériel : Une constellation

Méthode :

■ Expliquer aux élèves que c'est aujourd'hui que l'on fait l'évaluation formative de la stratégie *Dresser un plan*.

■ Écrire au tableau interactif une série d'idées portant sur un sujet de rédaction (par exemple : Les insectes).

■ Distribuer la constellation (*voir la fiche reproductible 4.2 sur le site Web*) pour écrire les idées dans un ordre aléatoire.

■ Distribuer le tableau pour regrouper les idées (*voir la fiche reproductible 4.4 sur le site Web*).

■ Rappeler la démarche : Regrouper en ordre d'importance les idées trouvées ; choisir les idées à garder pour la rédaction de l'ébauche en prenant soin de réserver une idée pour l'introduction et une autre pour la conclusion.

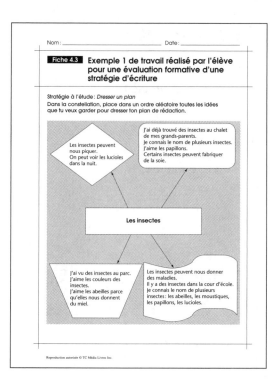

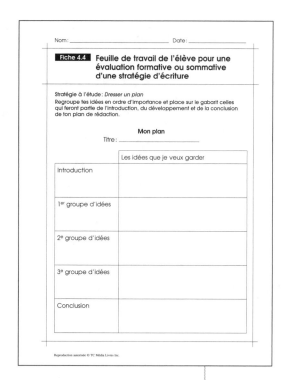

- Inviter les élèves à utiliser le gabarit d'enseignement explicite de la stratégie *Dresser un plan* (*voir la fiche reproductible 1.34*) pour suivre correctement les étapes.

- Rappeler aux élèves qu'ils doivent relire leur travail avant de le remettre.

Pendant

- Circuler dans la classe et observer le travail des élèves.

Après

- Recueillir les évaluations formatives.

- Inviter les élèves à émettre leurs opinions au sujet du travail réalisé.

- Corriger les évaluations formatives à l'aide de la grille (*voir la fiche reproductible 4.6 sur le site Web*).

- À partir des résultats observés, former les groupes homogènes en écriture guidée pour la semaine 2 du bloc de littératie en écriture.

L'élève n'a pas à suivre toutes les étapes du processus d'écriture chaque fois qu'il écrit un texte. Tout dépend de ce que l'enseignant veut évaluer. Une évaluation formative peut porter sur la recherche d'idées, alors que la rédaction d'une ébauche peut faire l'objet d'une évaluation sommative. Il est important, par contre, de procéder à une évaluation sommative de toutes les étapes au moins deux fois durant l'année scolaire.

Voyons maintenant les composantes de la semaine 2 du bloc de littératie en écriture.

Semaine 2 du bloc de littératie en écriture

> **Stratégie utilisée :** Stratégie d'écriture *Dresser un plan*
>
> **Étape du processus :** Planification
>
> **Modèle d'enseignement :** Enseignement différencié
>
> **Temps alloué à chaque séance :** Avant : 15 minutes –
> Pendant : 30 minutes – Après : 15 minutes

Jour 6

Situation d'enseignement	Objectif de la leçon	Matériel à préparer	Regroupement	Type d'évaluation
Écriture guidée	**Enseignement différencié** avec les élèves du **Niveau 1** dont la compréhension de la stratégie est **limitée**.	• Horaire de rotation des centres de littératie (*voir le tableau 2.4, page 51*) • Feuille de route (*voir le tableau 4.1, page 110*) • Fiche d'autoévaluation (*voir la fiche reproductible 2.8 sur le site Web*) • Constellation et plan (*voir les fiches reproductibles 4.2 et 4.4 sur le site Web*)	• Équipes homogènes pour les rencontres en écriture guidée • Équipes homogènes ou hétérogènes pour les centres de littératie	Évaluations **diagnostique** et **formative** de la stratégie *Dresser un plan*

Avant

- Présenter l'horaire de rotation des centres de littératie pour la journée.

- Demander aux élèves de consulter la feuille de route pour revoir les directives concernant les travaux à faire.

- Rappeler les consignes concernant les comportements désirés dans les centres de littératie.

- Rappeler aux élèves qu'ils doivent remplir la fiche d'autoévaluation lorsqu'ils ont fini leur travail.

- Laisser aux équipes le temps de s'installer.

Pendant

- Rencontre avec le Niveau 1 (les inviter par leur nom – Les chercheurs) dans un coin de la classe aménagé pour l'écriture guidée.

- Expliquer aux élèves qu'ils doivent dresser le plan d'une rédaction portant sur le sujet donné par l'enseignant.

- Repasser les étapes du **Comment ?** du gabarit d'enseignement explicite (*voir la fiche reproductible 1.34*).

- Distribuer les constellations et une liste d'idées portant sur un sujet de rédaction (par exemple : Les étoiles).

- Faire lire toutes les idées.

- Demander aux élèves de regrouper les idées en ordre d'importance et de justifier leur choix.

- Demander aux élèves de choisir les idées qu'ils veulent garder. Avec l'aide de l'enseignant, tous s'entendent sur les idées à conserver.

- Les élèves déterminent quelles idées seront présentées au début, au milieu et à la fin du texte ; puis, ils dressent le plan de rédaction du sujet proposé.

- Les élèves placent leur constellation et leur plan dans leur dossier ou portfolio d'écriture.

Après

- Accorder un temps d'objectivation pour discuter du travail effectué dans les centres de littératie.

- Les élèves remplissent leur fiche d'autoévaluation.

La rédaction du texte commencé en écriture guidée n'est pas obligatoire, mais si tel est le désir de l'enseignant, le texte doit se limiter à deux ou trois courts paragraphes.

Le déroulement des Jours 7, 8 et 9 en écriture guidée est identique à celui du Jour 6. Par contre, au moment de recevoir un groupe de niveau différent (par exemple : N3 au lieu de N2) il est important d'avoir un texte correspondant au niveau d'autonomie et de compréhension de ce groupe.

Jour 7

Situation d'enseignement	Objectif de la leçon	Matériel à préparer	Regroupement	Type d'évaluation
Écriture guidée	**Enseignement différencié** avec les élèves du **Niveau 2** dont la compréhension de la stratégie est **partielle**.	• Horaire de rotation des centres de littératie (*voir le tableau 2.4, page 51*) • Feuille de route (*voir le tableau 4.1, page 110*) • Fiche d'autoévaluation (*voir la fiche reproductible 2.8 sur le site Web*) • Constellation et plan (*voir les fiches reproductibles 4.2 et 4.4 sur le site Web*)	• Équipes homogènes pour les rencontres en écriture guidée • Équipes homogènes ou hétérogènes pour les centres de littératie	Évaluations **diagnostique** et **formative** de la stratégie *Dresser un plan*

Avant – Pendant – Après

Même méthode que le Jour 6, seul le niveau de difficulté change.

Jour 8

Situation d'enseignement	Objectif de la leçon	Matériel à préparer	Regroupement	Type d'évaluation
Écriture guidée	**Enseignement différencié** avec les élèves du **Niveau 3** dont la compréhension de la stratégie est **juste**.	• Horaire de rotation des centres de littératie (*voir le tableau 2.4, page 51*) • Feuille de route (*voir le tableau 4.1, page 110*) • Fiche d'autoévaluation (*voir la fiche reproductible 2.8 sur le site Web*) • Constellation et plan (*voir les fiches reproductibles 4.2 et 4.4 sur le site Web*)	• Équipes homogènes pour les rencontres en écriture guidée • Équipes homogènes ou hétérogènes pour les centres de littératie	Évaluations **diagnostique** et **formative** de la stratégie *Dresser un plan*

Avant – Pendant – Après

Même méthode que le Jour 6, seul le niveau de difficulté change.

Jour 9

Situation d'enseignement	Objectif de la leçon	Matériel à préparer	Regroupement	Type d'évaluation
Écriture guidée	**Enseignement différencié** avec les élèves du **Niveau 4** dont la compréhension de la stratégie est **approfondie**.	• Horaire de rotation des centres de littératie (*voir le tableau 2.4, page 51*) • Feuille de route (*voir le tableau 4.1, page 110*) • Fiche d'autoévaluation (*voir la fiche reproductible 2.8 sur le site Web*) • Constellation et plan (*voir les fiches reproductibles 4.2 et 4.4 sur le site Web*)	• Équipes homogènes pour les rencontres en écriture guidée • Équipes homogènes ou hétérogènes pour les centres de littératie	Évaluations **diagnostique** et **formative** de la stratégie *Dresser un plan*

Avant – Pendant – Après

Même méthode que le Jour 6, seul le niveau de difficulté change.

Pour les classes de plus de 24 élèves, un 5e groupe (Niveau combiné) reçoit de l'enseignement guidé, ce qui demande l'organisation d'un 5e centre de littératie (*voir le chapitre 2*). La rencontre en enseignement guidé se déroule de la même façon qu'avec les autres niveaux (un texte approprié pour les deux niveaux) et la correction des travaux faits en centres de littératie a lieu durant la deuxième période du bloc de littératie.

Jour 10

Situation d'enseignement	Objectif de la leçon	Matériel à préparer	Regroupement	Type d'évaluation
Écriture guidée	Évaluation **sommative** de la stratégie *Dresser un plan*	• Constellations (*voir la fiche reproductible 4.7 sur le site Web*) en nombre suffisant • Copies de l'évaluation sommative (*voir les fiches reproductibles 4.8 et 4.9 sur le site Web, ainsi que le tableau 4.2, page 112*) en nombre suffisant	Les élèves font l'évaluation individuellement.	Évaluation **sommative**

Avant

▨ Expliquer aux élèves qu'aujourd'hui, c'est l'évaluation sommative de la stratégie *Dresser un plan.*

▨ Rappeler la démarche:

– lire toutes les idées;

– regrouper les idées en ordre d'importance;

– choisir les idées qui seront gardées pour la rédaction (y compris celles pour l'introduction et la conclusion).

▨ Distribuer le matériel.

Pendant

▨ Circuler dans la classe et observer le travail des élèves.

Après

▨ Recueillir les évaluations sommatives.

▨ Inviter les élèves à émettre leurs opinions au sujet de l'évaluation sommative.

Les résultats des évaluations sommatives doivent être communiqués aux élèves et à leurs parents à l'aide d'une grille individualisée et consignés dans un portfolio d'évaluation de l'élève.

D'autres exemples de centres de littératie (*voir l'annexe F*) sont disponibles pour les enseignants.

Tableau 4.1 | Un exemple de feuille de route pour les centres de littératie en écriture

Nous suggérons un portfolio pour les centres de littératie afin que les élèves puissent ranger leurs travaux. Ce peut être le même que celui utilisé pour les centres de littératie en lecture.

Nom : _____

Semaine du : _____

Stratégie à l'étude : *Dresser un plan*

Travaux à faire

Travaux à exécuter	Matériel requis et directives
Je m'amuse avec le mur de mots. Pour cette activité, les élèves doivent composer des indices pour 10 mots du mur de mots.	**Ce dont tu as besoin :** • une feuille pour écrire tes indices ; • 10 mots du mur de mots ; • ton crayon et ta gomme à effacer. **Marche à suivre :** • écris au moins 2 indices pour chaque mot que tu as choisi ; • échange ta feuille avec l'élève à ta droite ; • en t'aidant des indices, essaie de reconnaître ses mots.
Je m'exerce avec la stratégie. Pour cette activité les élèves choisissent un sujet de rédaction et en dressent le plan.	**Ce dont tu as besoin :** • un sujet de rédaction de ton choix ; • une constellation et une feuille pour dresser ton plan ; • ton crayon et ta gomme à effacer. **Marche à suivre :** • choisis un sujet de rédaction ; • fais la constellation ; • regroupe tes idées, choisis celles que tu veux garder et dresse le plan ; • échange ton plan avec l'élève à ta gauche qui donne son impression au sujet de ce plan ; • tu peux ajouter des idées.

Activité d'écriture
Je compose différentes sortes de phrases.
Pour cette activité, les élèves composent différentes formes de phrases, à partir d'une phrase de base.
	Ce dont tu as besoin :
	• ton crayon et ta gomme à effacer ;
	• une feuille pour écrire tes phrases ;
	• trois phrases affirmatives que tu composes toi-même.
	Marche à suivre :
	• transforme chaque phrase 4 fois en la mettant à la forme :
	  – interrogative (?) ;
	  – exclamative (!) ;
	  – impérative ;
	  – négative ;
	• échange ta feuille avec l'élève à ta droite et lis ses phrases.

▷

Étude de mots *Trouver des mots de la même famille* (activité supplémentaire pour les classes de plus de 24 élèves) Pour cette activité, les élèves utilisent un dictionnaire pour composer des familles de mots. 	**Ce dont tu as besoin:** • un dictionnaire; • une feuille pour écrire tes familles de mots; • ton crayon et ta gomme à effacer. **Marche à suivre:** • à l'aide d'un dictionnaire, trouve au moins 12 mots et/ou expressions qui s'écrivent à partir du mot «jour» et 12 mots et/ou expressions avec le mot «dent»; • lorsque ton groupe a terminé, comptez le nombre de mots et/ou d'expressions que vous avez trouvés; ne comptez par les mots et les expressions qui se répètent.
Je suis en écriture guidée. 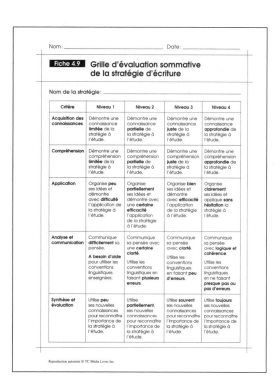	**Ce dont tu as besoin:** • une constellation; • une feuille pour dresser ton plan; • ton crayon et ta gomme à effacer. **Marche à suivre:** • tu participes à la discussion avec ton enseignant; • tu collabores avec tes coéquipiers pour dresser le plan du sujet de rédaction proposé.

Nom: _____ Date: _____

Fiche 4.8 Des exemples de questions pour l'évaluation sommative de la stratégie d'écriture *Dresser un plan*

1. (Acquisition des connaissances) Énumère les étapes pour dresser un plan.
   _____
   _____
   _____

2. (Compréhension) Exprime en tes propres mots ce que veut dire «dresser un plan».
   _____
   _____
   _____

3. (Application) Développe un outil organisationnel pouvant regrouper les idées d'un texte dans un plan.

4. (Analyse et communication) Quelles différences pourrait-il y avoir entre un texte rédigé à partir d'un plan et un texte rédigé sans l'utilisation d'un plan?
   _____
   _____
   _____

5. (Synthèse et évaluation) Es-tu d'accord pour dire que les enseignants doivent toujours recommander à leurs élèves de dresser un plan avant de rédiger un texte? Justifie ta réponse.
   _____
   _____
   _____

Nom: _____ Date: _____

Fiche 4.9 Grille d'évaluation sommative de la stratégie d'écriture

Nom de la stratégie: _____

Critère	Niveau 1	Niveau 2	Niveau 3	Niveau 4
Acquisition des connaissances	Démontre une connaissance **limitée** de la stratégie à l'étude.	Démontre une connaissance **partielle** de la stratégie à l'étude.	Démontre une connaissance **juste** de la stratégie à l'étude.	Démontre une connaissance **approfondie** de la stratégie à l'étude.
Compréhension	Démontre une compréhension **limitée** de la stratégie à l'étude.	Démontre une compréhension **partielle** de la stratégie à l'étude.	Démontre une compréhension **juste** de la stratégie à l'étude.	Démontre une compréhension **approfondie** de la stratégie à l'étude.
Application	Organise **peu** ses idées et démontre **difficulté** l'application de la stratégie à l'étude.	Organise **partiellement** ses idées et démontre avec une **certaine efficacité** l'application de la stratégie à l'étude.	Organise **bien** ses idées et démontre avec **efficacité** l'application de la stratégie à l'étude.	Organise **clairement** ses idées et applique **sans hésitation** la stratégie à l'étude.
Analyse et communication	Communique **difficilement** sa pensée. **A besoin d'aide** pour utiliser les conventions linguistiques enseignées.	Communique sa pensée avec une **certaine clarté**. Utilise les conventions linguistiques en faisant **plusieurs erreurs**.	Communique sa pensée avec **clarté**. Utilise les conventions linguistiques en faisant **peu d'erreurs**.	Communique sa pensée avec **logique et cohérence**. Utilise les conventions linguistiques en ne faisant **presque pas ou pas d'erreurs**.
Synthèse et évaluation	Utilise **peu** ses nouvelles connaissances pour reconnaître l'importance de la stratégie à l'étude.	Utilise **partiellement** ses nouvelles connaissances pour reconnaître l'importance de la stratégie à l'étude.	Utilise **souvent** ses nouvelles connaissances pour reconnaître l'importance de la stratégie à l'étude.	Utilise **toujours** ses nouvelles connaissances pour reconnaître l'importance de la stratégie à l'étude.

Tableau 4.2	**Un exemple d'une grille d'évaluation sommative de la stratégie d'écriture** *Dresser un plan* **(élèves de 9 et 10 ans)**			

Critère	Niveau 1	Niveau 2	Niveau 3	Niveau 4
Acquisition des connaissances Énumère les étapes pour dresser un plan.	Démontre une connaissance **limitée** de la stratégie à l'étude.	Démontre une connaissance **partielle** de la stratégie à l'étude.	Démontre une connaissance **juste** de la stratégie à l'étude.	Démontre une connaissance **approfondie** de la stratégie à l'étude.
Compréhension Exprime en tes propres mots ce que veut dire «dresser un plan».	Démontre une compréhension **limitée** de la stratégie à l'étude.	Démontre une compréhension **partielle** de la stratégie à l'étude.	Démontre une compréhension **juste** de la stratégie à l'étude.	Démontre une compréhension **approfondie** de la stratégie à l'étude.
Application Développe un outil organisationnel pouvant regrouper les idées d'un texte dans un plan.	Organise **peu** ses idées et démontre avec **difficulté** l'application de la stratégie à l'étude.	Organise **partiellement** ses idées et démontre avec une **certaine efficacité** l'application de la stratégie à l'étude.	Organise **bien** ses idées et démontre avec **efficacité** l'application de la stratégie à l'étude.	Organise clairement ses idées et applique **sans hésitation** la stratégie à l'étude.
Analyse et communication Quelles différences pourrait-il y avoir entre un texte rédigé à partir d'un plan et un texte rédigé sans l'utilisation d'un plan?	Communique **difficilement** sa pensée. **A besoin d'aide** pour utiliser les conventions linguistiques enseignées.	Communique sa pensée avec une **certaine clarté**. Utilise les conventions linguistiques en faisant **plusieurs erreurs**.	Communique sa pensée avec **clarté**. Utilise les conventions linguistiques en faisant **peu d'erreurs**.	Communique sa pensée avec **logique** et **cohérence** Utilise les conventions linguistiques en ne faisant **presque pas ou pas d'erreurs**.
Synthèse et évaluation Es-tu d'accord pour dire que les enseignants doivent toujours recommander à leurs élèves de dresser un plan avant de rédiger un texte? Justifie ta réponse.	Utilise **peu** ses nouvelles connaissances pour reconnaître l'importance de la stratégie à l'étude.	Utilise **partiellement** ses nouvelles connaissances pour reconnaître l'importance de la stratégie à l'étude.	Utilise **souvent** ses nouvelles connaissances pour reconnaître l'importance de la stratégie à l'étude.	Utilise **toujours** ses nouvelles connaissances pour reconnaître l'importance de la stratégie à l'étude.

Récapitulatif

Un exemple de déroulement d'un bloc de littératie pour l'enseignement d'une stratégie d'écriture

Semaine 1	
Enseignement explicite d'une stratégie de planification en écriture	
Jour 1	**Écriture modelée** L'enseignant fait la démonstration de la stratégie en écrivant un texte ou une partie d'un texte devant la classe.
Jour 2	**Écriture partagée : modelage** L'enseignant fait le modelage de la stratégie devant la classe.
Jour 3	**Écriture partagée : pratique guidée** L'enseignant fait le modelage de la stratégie avec quelques élèves devant la classe.
Jour 4	**Écriture partagée : pratique coopérative** Les élèves s'exercent avec la stratégie (enseignement réciproque en dyades).
Jour 5	**Écriture partagée : pratique autonome** Évaluation formative individuelle de la stratégie – voir les modèles (*fiches reproductibles 4.2 à 4.5 sur le site Web*) et la grille de correction (*fiche reproductible 4.6 sur le site Web*)

Semaine 2	
Enseignement différencié d'une stratégie de planification en écriture	
Jour 6	**Écriture guidée** Rencontre avec les élèves du Niveau 1 pour l'enseignement guidé/différencié de la stratégie à l'étude, *Dresser un plan*, pendant que le reste de la classe travaille en centres de littératie selon l'horaire de rotation établi (*voir le tableau 2.4, page 51*).
Jour 7	**Écriture guidée** Rencontre avec les élèves du Niveau 2 pour l'enseignement guidé/différencié de la stratégie à l'étude, *Dresser un plan*, pendant que le reste de la classe travaille en centres de littératie selon l'horaire de rotation établi (*voir le tableau 2.4, page 51*).
Jour 8	**Écriture guidée** Rencontre avec les élèves du Niveau 3 pour l'enseignement guidé/différencié de la stratégie à l'étude, *Dresser un plan*, pendant que le reste de la classe travaille en centres de littératie selon l'horaire de rotation établi (*voir le tableau 2.4, page 51*).
Jour 9	**Écriture guidée** Rencontre avec les élèves du Niveau 4 pour l'enseignement guidé/différencié de la stratégie à l'étude, *Dresser un plan*, pendant que le reste de la classe travaille en centres de littératie selon l'horaire de rotation établi (*voir le tableau 2.4, page 51*).
Jour 10	**Écriture guidée** • **Évaluation sommative** de la stratégie – voir les modèles (*fiches reproductibles 4.7 et 4.8 sur le site Web*) et la grille de correction (*fiche reproductible 4.9 sur le site Web*) • Correction des travaux faits en centre de littératie

Les éléments d'écriture

Nous venons d'élaborer la démarche d'enseignement explicite d'une stratégie d'écriture se déroulant sur une période de 10 jours. Cette stratégie se situe à l'étape de la planification du processus d'écriture (*voir les tableaux 4.3 et 4.4, pages 117 et 118*). Puisque chacune des stratégies enseignées amène l'élève à utiliser l'une ou l'autre des étapes du processus d'écriture, il est tout à fait normal que l'apprentissage de ces différentes étapes se fasse graduellement, d'une année scolaire à l'autre. Étant donné qu'il est impossible de maîtriser toutes les étapes du processus d'écriture en même temps, il est nécessaire que les élèves commencent à s'exercer à rédiger de courts textes dès la première année. C'est en mettant à profit leur apprentissage des stratégies d'écriture que les jeunes scripteurs arrivent à produire des textes de qualité.

Cependant, la connaissance et l'utilisation des stratégies d'écriture ne garantissent pas à elles seules la rédaction de textes fluides, imagés et cohérents. Il faut aussi tenir compte de l'importance des procédés stylistiques comme compétences que l'élève doit développer en écriture. Nous appelons ces procédés « les éléments d'écriture ». Ce sont eux qui confèrent aux textes les qualités esthétiques nécessaires à leur appréciation. Ils s'enseignent de concert avec les stratégies d'écriture tout au long de l'acquisition des différentes étapes du processus d'écriture, et se définissent comme suit.

Élément 1: les idées

Tremplin de l'exercice d'écriture, les idées représentent l'intention de l'auteur d'écrire sur un sujet quelconque; elles doivent d'être claires, pertinentes, avoir un lien avec le sujet du texte et susciter l'intérêt du lecteur.

L'élève consulte différents documents de références, des personnes-ressources ou fait une recherche dans Internet pour trouver des idées concernant le sujet de sa rédaction.

Exemple: L'élève élabore une constellation où il place toutes les idées reliées à son intention d'écriture.

Cet élément d'écriture est présenté à l'étape 1 du processus d'écriture, soit la planification.

Élément 2: la structure

Organisation logique et cohérente du texte permettant au lecteur de bien suivre le déroulement de l'histoire ou de l'information, la structure du texte est indispensable à sa compréhension.

L'élève rédige un texte selon les caractéristiques qui lui sont propres et utilise la même démarche organisationnelle que les modèles étudiés en lecture.

Exemple: L'élève utilise la structure début-milieu-fin ou l'ordre chronologique, selon le type de texte choisi (texte descriptif, narratif, informatif, incitatif ou poétique).

Cet élément d'écriture est présenté à l'étape 1 du processus d'écriture, soit la planification.

Élément 3 : le choix de mots

Élément essentiel à la rédaction d'un texte clair et imagé et contribuant à véhiculer l'intention et la pensée de l'auteur, le choix du vocabulaire donne à un texte une qualité qui le distingue.

L'élève réfléchit au vocabulaire à utiliser et à l'effet que ces mots peuvent produire sur le texte.

Exemple : L'élève crée l'effet recherché en choisissant un vocabulaire qui fait image et qui saura capter l'attention du lecteur.

- Un code secret ouvrait la porte de la chambre mystérieuse…

- Un mystérieux code secret réussit à ouvrir avec fracas les portes de la chambre secrète.

Cet élément d'écriture est présenté à l'étape 2 du processus d'écriture, soit la rédaction de l'ébauche.

L'élève a aussi l'occasion de confirmer son choix de mots à l'étape 3 du processus d'écriture, soit la révision.

Élément 4 : la fluidité

L'articulation harmonieuse des phrases et l'enchaînement agréable des parties du texte caractérisent la fluidité qui agrémente la lecture.

L'élève reconnaît l'importance de varier les longueurs et les types de phrases qu'il utilise. Il recherche une forme originale pour s'exprimer et joindre les parties du texte.

Exemple : L'élève fait bon usage des types de phrases, de la syntaxe, des marqueurs de relation, des verbes et des adjectifs pour rendre son texte fluide, motivant ainsi le lecteur à poursuivre sa lecture.

> Une fois seul dans ses appartements, le sultan se mit à réfléchir. Ses invités, pour le moins inquiétants, l'intriguaient beaucoup. Khadija était une jeune princesse aux yeux noirs et à la chevelure rouge fauve. Elle était intrépide et prête à affronter n'importe quel danger. Son ami, le pirate Charpente, était fort et batailleur mais il avait néanmoins le cœur sur la main. Or, qu'étaient-ils venus faire dans son royaume imprenable, ces deux-là, avec en plus leur ami Jacquot, un génie astucieux et rusé ? Le sultan n'en n'avait pas la moindre idée mais, qu'on se le tienne pour dit, il le découvrirait coûte que coûte…
>
> Source : VINET, C. (2003). À *l'époque des chameaux*. (Texte non publié).

Cet élément d'écriture est présenté à l'étape 2 du processus d'écriture, soit la rédaction de l'ébauche.

L'élève a l'occasion d'évaluer la fluidité de son texte à l'étape 3 du processus d'écriture, soit la révision.

Élément 5 : le style

L'aspect personnel de l'écriture faisant appel à la créativité et à l'imaginaire du rédacteur détermine très tôt le style particulier de l'auteur.

L'élève s'ingénie à utiliser un vocabulaire intéressant, des métaphores originales, une syntaxe variée et des éléments de style qui lui sont personnels. Cet élément d'écriture est le plus exigeant. Les élèves n'atteindront pas tous les mêmes résultats, mais il importe qu'ils puissent en saisir toute la portée en faisant la lecture de nombreux textes aux styles différents.

Exemple : L'élève démontre ses talents de rédacteur, ses affinités pour la langue et ses capacités à utiliser les procédés stylistiques comme les métaphores, les comparaisons et les inférences (proverbes et dictons) pour démontrer différents styles (formel, informel, persuasif, humoristique).

> Khadija eut beau crier, cracher, donner des coups de pied, lui pincer le nez, il n'y avait rien à faire. L'espion lui ligota les mains, l'enveloppa dans un sac épais comme la nuit et la jetant sur son épaule, la déposa quelques minutes plus tard, aux pieds du sultan ébahi. « Queue de rat et cervelle de souris, qui êtes-vous donc ? », s'écria le sultan en voyant sortir du tapis déroulé une petite furie bien en vie et dangereusement capable de se défendre. « Samir, s'exclama le sultan, va chercher le plus féroce de mes crocodiles. Il soupera tôt, ce soir… »
>
> Source : VINET, C. (2003). À *l'époque des chameaux.* (Texte non publié).

Cet élément d'écriture est présenté à l'étape 2 du processus d'écriture, soit la rédaction de l'ébauche.

L'élève a l'occasion de peaufiner les éléments de style de son texte à l'étape 3 du processus d'écriture, soit la révision.

Élément 6 : les conventions linguistiques

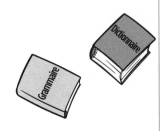

Les conventions linguistiques se rapportent à l'ensemble des règles d'orthographe lexicale et grammaticale, et des règles de ponctuation à appliquer au moment de la rédaction d'un texte.

L'élève s'efforce de respecter l'orthographe d'usage, les accords de verbes, la ponctuation et l'utilisation des majuscules ainsi qu'une syntaxe adéquate. Il a l'occasion de vérifier l'application des conventions linguistiques utilisées dans son texte en vérifiant l'orthographe, la grammaire, la ponctuation et l'usage d'organisateurs textuels. Il utilise à cette fin le code de correction de la classe présenté par l'enseignant au début de l'année, son journal de mots, des dictionnaires ou des logiciels de correction.

Cet élément d'écriture est présenté à l'étape 4 du processus d'écriture, soit la correction.

Élément 7 : la publication

La publication d'un texte comprend notamment l'apparence visuelle d'un texte dans sa version finale.

L'élève présente son texte à l'aide d'éléments visuels proprement disposés et d'une mise en page facilitant la lecture. Il prépare la version finale de son texte en choisissant des éléments de lisibilité (texte manuscrit ou reproduit à l'ordinateur, détails visuels, organisation du texte, clarté de la mise en page) afin de rendre son texte attrayant pour le lecteur.

Cet élément d'écriture est présenté à l'étape 5 du processus d'écriture, soit la publication.

Les étapes du processus d'écriture ainsi que les stratégies et les éléments d'écriture reliés à chacune de ses étapes sont repris dans les tableaux 4.3 et 4.4.

Tableau 4.3 | **Les processus, stratégies et éléments d'écriture (élèves de 6 à 8 ans)**

Processus d'écriture	Éléments d'écriture	Stratégies d'écriture
Planification	• Idées • Structure	• Cibler l'intention et le sujet du texte • Faire appel à ses connaissances antérieures • Rechercher des informations • Dresser un plan
Rédaction de l'ébauche	• Choix de mots • Fluidité • Style	• Rédiger l'ébauche
Révision	• Choix de mots • Fluidité • Style	• Vérifier l'organisation du texte • Enrichir le texte
Correction	• Conventions linguistiques	• Vérifier l'application des habiletés grammaticales et les conventions linguistiques reliées à la langue française
Publication	• Publication	• Préparer la version finale du texte

Tableau 4.4 | **Les processus, stratégies et éléments d'écriture (élèves de 9 à 11 ans)**

Processus d'écriture	Éléments d'écriture	Stratégies d'écriture
Planification	• Idées • Structure	• Déterminer l'intention, les destinataires et le type de texte • Faire appel à ses connaissances antérieures • Rechercher des informations sur le sujet • Planifier et organiser ses idées
Rédaction de l'ébauche	• Choix de mots • Fluidité • Style	• Rédiger l'ébauche
Révision	• Choix de mots • Fluidité • Style	• Réviser pour modifier et enrichir le texte
Correction	• Conventions linguistiques	• Relire le texte et corriger la ponctuation et les fautes d'orthographe lexicale et grammaticale
Publication	• Publication	• Préparer la version finale du texte

Écrire, c'est continuer là où la lecture s'arrête.

L'élève qui entend fréquemment des lectures intéressantes et qui peu à peu devient un lecteur autonome à la recherche d'aventures et d'informations éprouve souvent le désir de devenir auteur, lui aussi. Toutefois, l'acte d'écrire est complexe et l'apprenant doit commencer tôt à rédiger des textes et à s'exercer à ce processus et aux éléments d'écriture.

Tout comme le plaisir de lire, le plaisir d'écrire s'acquiert en lisant et en manipulant des textes de qualité.

Pour que la culture de l'écrit se développe, donnons à l'élève les mots et les moyens dont il a besoin pour écrire et livrer ses propres messages.

Chapitre 5

L'enseignement d'un bloc de littératie en communication orale

Dès son entrée à l'école, l'enfant communique avec les mots qu'il connaît. Le rôle de l'enseignant est de lui en enseigner beaucoup d'autres. Par l'interaction verbale quotidienne, les situations authentiques d'apprentissage de la langue et le modelage explicite de son enseignant, l'élève acquiert une autonomie en communication orale qui s'épanouit progressivement au fil des jours. Il revient donc aux enseignants de faire bon usage des stratégies d'écoute et de prise de parole dans le but d'amener l'élève à s'exprimer avec aisance et à interpréter correctement un message reçu.

La semaine du bloc de littératie en communication orale est consacrée à l'enseignement explicite d'une stratégie d'écoute ou de prise de parole. Les étapes sont les mêmes qu'en lecture et en écriture, soit le modelage, les pratiques guidées, la pratique coopérative et la pratique autonome. Une évaluation formative a lieu le Jour 5.

L'enseignement des stratégies d'écoute et de prise de parole ne nécessite pas une semaine d'enseignement guidé ni d'évaluation sommative, car les élèves ont de nombreuses occasions de démontrer leurs nouveaux savoirs durant la journée. Les cercles de lecture, les travaux en équipe et les échanges informels effectués dans une matière ou une autre permettent aux élèves de s'exercer avec le vocabulaire nouvellement appris. Par contre, il est nécessaire de repérer au plus vite les élèves présentant de sérieuses difficultés à comprendre le français et à le parler, même après les apprentissages et les pratiques du bloc de littératie en communication orale, afin qu'ils puissent recevoir les services de soutien à l'apprentissage dont disposent les écoles.

Les étapes du processus de présentation orale formelle (*voir la figure 1.8, page 28*) ne s'appliquent qu'au moment des présentations orales. Le présent chapitre porte sur l'enseignement de la stratégie de prise de parole *J'emploie les mots justes* auprès des élèves de 6 à 8 ans (*voir la fiche*

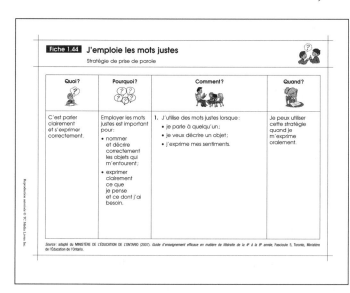

reproductible 1.44). La démarche d'enseignement explicite de la première semaine du bloc de littératie est la même qu'en lecture et en écriture, mais les élèves n'ont pas entre les mains le gabarit d'enseignement explicite de la stratégie à l'étude, puisque celui-ci est affiché dans la classe ou au TBI pour qu'il soit bien en vue. Toutefois, il peut être distribué aux élèves plus vieux. Nous encourageons l'utilisation d'un cahier *Moi et les stratégies de communication orale*; toutefois, c'est aux enseignants que revient cette décision.

Semaine 1 du bloc de littératie en communication orale

Stratégie utilisée: Stratégie de prise de parole *J'emploie les mots justes*

Étape du processus: Connaissance procédurale

Modèles d'enseignement: Enseignement explicite et réciproque

Temps alloué à chaque séance: Avant: 15 minutes – Pendant: 30 minutes – Après: 15 minutes

Jour 1

Situation d'enseignement	Objectif de la leçon	Matériel à préparer	Regroupement	Type d'évaluation
Expression orale	Plaisir de s'exprimer et **introduction** à la stratégie *J'emploie les mots justes*	• Court texte portant sur un objet familier et qui sera lu aux élèves (par exemple: *Un objet magique, voir la fiche reproductible 5.1 sur le site Web*). • Sur des cartons de la même couleur, écrire des mots «vagues» comme: *le machin, la chose, l'objet, le bidule, faire*.	Groupe-classe	Évaluation **diagnostique** des habiletés des élèves à s'exprimer clairement

Le corrigé du texte pouvant être utilisé le Jour 1 est également disponible (*voir la fiche reproductible 5.2 sur le site Web*).

Avant

■ Indiquer aux élèves qu'ils doivent prendre une position d'écoute ou utiliser un signal connu par le groupe-classe pour obtenir le calme et l'attention.

■ Dire aux élèves qu'ils doivent trouver le nom de l'objet dont il est question dans le texte.

Pendant

■ Lorsque les élèves voient le texte pour la première fois, des mots vagues sont collés par-dessus les mots justes du texte.

■ Lire le texte au groupe-classe de façon expressive, mais en utilisant les mots vagues.

■ Après la lecture, demander aux élèves s'ils ont compris quelque chose.

■ Demander aux élèves s'il leur arrive parfois d'utiliser des mots « vagues » pour nommer des objets.

■ Faire le modelage qui suit afin que les élèves puissent voir comment s'y prendre pour trouver le nom de l'objet magique :

– Je ne comprends pas l'histoire que je viens de raconter aux amis de la classe.

– Il y a toutes sortes de mots qui parlent d'un objet, d'un machin, d'un bidule ou d'une chose.

– Je vais essayer de relire cette histoire en employant les mots justes.

– Dans l'histoire, on dit que cet objet peut faire de très beaux dessins.

– C'est peut-être un crayon.

– Je vais relire cette histoire en utilisant des mots que je connais qui sont souvent utilisés avec le mot crayon.

■ Enlever les cartons recouvrant les mots vagues et relire l'histoire en utilisant les mots justes.

■ Demander aux élèves s'ils ont mieux compris l'histoire.

■ Demander aux élèves de nommer l'objet dont il est question dans le texte.

■ Faire relire l'histoire par les élèves.

■ L'enseignant soutient la lecture des élèves, au besoin.

Après

■ Accorder un temps d'objectivation afin que les élèves puissent réagir à l'histoire :

– Avez-vous bien compris de quel objet il s'agissait la première fois que vous avez entendu l'histoire ? Pourquoi ?

– Lorsque j'ai utilisé le mot « crayon », l'histoire avait-elle plus de sens pour vous ? Pourquoi ?

– Il est toujours préférable d'utiliser des mots justes lorsqu'on parle ou qu'on désire écrire une histoire. Êtes-vous d'accord avec ce que je viens de dire ? Pourquoi ?

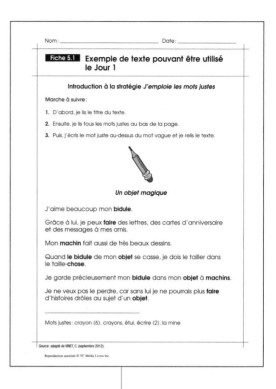

■ Demander aux élèves s'ils connaissent le nom de tous les objets qu'ils voient dans la classe.

Les élèves de 6 et 7 ans (2ᵉ année) étant encore au début de l'apprentissage de la lecture, il importe que les enseignants lisent ou racontent les textes utilisés pour la stratégie *J'emploie les mots justes*. Les textes peuvent contenir un vocabulaire un peu plus complexe au fur et à mesure que se déroulent les séances d'enseignement, mais le vocabulaire doit tout de même être connu des élèves.

Jour 2

Situation d'enseignement	Objectif de la leçon	Matériel à préparer	Regroupement	Type d'évaluation
Expression orale	**Modelage** de la stratégie *J'emploie les mots justes*	• Gabarits d'enseignement explicite (*voir les fiches reproductibles 1.1 et 1.44*) affichés dans la classe • Court texte qui sera lu aux élèves (par exemple, *Martin le marin, voir la fiche reproductible 5.3 sur le site Web*)	Groupe-classe	Évaluation **diagnostique** de la compréhension générale de la stratégie *J'emploie les mots justes*

Le corrigé du texte pouvant être utilisé le Jour 2 est également disponible (*voir la fiche reproductible 5.4 sur le site Web*).

Avant

■ Présenter la stratégie de façon formelle. La nommer – *J'emploie les mots justes* – et l'écrire sur le gabarit d'enseignement explicite vide dans la section « Nom de la stratégie » (*voir la fiche reproductible 1.1*).

- Discuter avec la classe en quoi consiste cette stratégie et écrire la réponse dans la colonne **Quoi?**

- La réponse du groupe-classe doit ressembler autant que possible à l'exemple présenté dans le gabarit d'enseignement explicite (*voir la fiche reproductible 1.44*).

Quoi?

C'est parler clairement et s'exprimer correctement.

Pendant

- Faire le modelage de la stratégie *J'emploie les mots justes* en lisant le texte avec les mêmes mots vagues (le machin, la chose, l'objet, le bidule).

- Reposer les mêmes questions que celles du Jour 1 concernant la compréhension d'un texte lu de cette façon.

- Enlever les cartons recouvrant les mots vagues et reprendre l'histoire en utilisant les mots justes.

Après

- Accorder un temps d'objectivation pour discuter avec la classe à quoi peut servir la stratégie *J'emploie les mots justes* et pourquoi elle est importante.

- Écrire la réponse dans la colonne **Pourquoi?** du gabarit d'enseignement explicite. La réponse du groupe-classe devrait ressembler autant que possible à l'exemple présenté dans le gabarit d'enseignement explicite (*voir la fiche reproductible 1.44*).

Pourquoi?

Employer les mots justes est important pour:
- nommer et décrire correctement les objets qui m'entourent;
- exprimer clairement ce que je pense et ce dont j'ai besoin.

Jour 3

Situation d'enseignement	Objectif de la leçon	Matériel à préparer	Regroupement	Type d'évaluation
Expression orale	**Pratique guidée** de la stratégie *J'emploie les mots justes*	• Gabarits d'enseignement explicite (*voir les fiches reproductibles 1.1 et 1.44*) affichés dans la classe. • Court texte qui sera lu aux élèves (par exemple, *Le trou dans la chaussette du roi*, voir la fiche reproductible 5.5 sur le site Web). • Les mots doivent être connus des élèves.	Groupe-classe et quelques élèves choisis pour participer à la démonstration	Évaluation **diagnostique** des habiletés des élèves à employer des mots justes pour s'exprimer ou décrire un objet

Le corrigé du texte pouvant être utilisé le Jour 3 est également disponible (*voir la fiche reproductible 5.6 sur le site Web*).

Avant

- Revoir les colonnes **Quoi?** et **Pourquoi?** de la stratégie *J'emploie les mots justes* et demander aux élèves d'expliquer en leurs propres mots pourquoi il est important de toujours utiliser les mots justes pour parler d'un objet ou pour le décrire.

Nom : _____ Date : _____

Fiche 5.5 Exemple de texte pouvant être utilisé le Jour 3

Pratique guidée de la stratégie *J'emploie les mots justes*

Marche à suivre

1. D'abord, je lis le titre du texte.
2. Ensuite, je lis tous les mots justes au bas du texte.
3. Puis, j'écris le mot juste au-dessus du mot vague et je relis le texte.

Le trou dans la chaussette du roi

Le roi a froid aux **bidules**. Il regarde ses **choses**. Il s'écrie : « Il y a un **machin** dans une de mes **choses**. »

Il appelle les raccommodeurs. Ils raccommodent la **chose**.

C'est trop froid. Cela ne va pas.

Les cuisinières font une pâte pour recouvrir le **machin** dans la **chose** du roi.

C'est trop collant. Cela ne va pas.

Les jardiniers tissent des feuilles dans le **machin** de la **chose** du roi.

Les feuilles sont trop piquantes. Cela ne va pas.

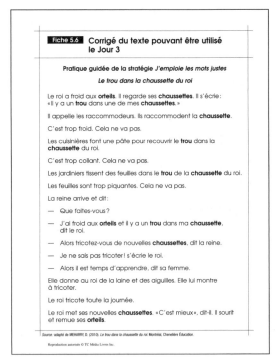

Fiche 5.6 Corrigé du texte pouvant être utilisé le Jour 3

Pratique guidée de la stratégie *J'emploie les mots justes*
Le trou dans la chaussette du roi

Le roi a froid aux **orteils**. Il regarde ses **chaussettes**. Il s'écrie : « Il y a un **trou** dans une de mes **chaussettes**. »

Il appelle les raccommodeurs. Ils raccommodent la **chaussette**.

C'est trop froid. Cela ne va pas.

Les cuisinières font une pâte pour recouvrir le **trou** dans la **chaussette** du roi.

C'est trop collant. Cela ne va pas.

Les jardiniers tissent des feuilles dans le **trou** de la **chaussette** du roi.

Les feuilles sont trop piquantes. Cela ne va pas.

La reine arrive et dit :

— Que faites-vous ?

— J'ai froid aux **orteils** et il y a un **trou** dans ma **chaussette**, dit le roi.

— Alors tricotez-vous de nouvelles **chaussettes**, dit la reine.

— Je ne sais pas tricoter ! s'écrie le roi.

— Alors il est temps d'apprendre, dit sa femme.

Elle donne au roi de la laine et des aiguilles. Elle lui montre à tricoter.

Le roi tricote toute la journée.

Le roi met ses nouvelles **chaussettes**. « C'est mieux », dit-il. Il sourit et remue ses **orteils**.

Source : adapté de MEHARRY, D. (2010). Le trou dans la chaussette du roi. Montréal, Chenelière Éducation.

Pendant

■ Dire aux élèves que cette fois, il y aura plusieurs mots vagues dans le texte et qu'il faudra trouver les mots justes à partir d'une banque de mots qu'ils connaissent.

■ Si le texte est rédigé par l'enseignant, les mots précis seront placés dans une boîte près du tableau où est affiché le texte. Si l'enseignant utilise le TBI, les élèves n'auront qu'à faire glisser les mots justes au bon endroit.

■ Lire le texte en utilisant les mots vagues.

■ Réfléchir à voix haute en se demandant comment faire pour que le texte soit plus facile à comprendre :

– Je comprends mieux l'histoire si j'utilise des mots justes pour nommer et décrire des objets.

– Il faut toujours employer des mots justes pour s'exprimer et se faire comprendre.

– Je vais relire l'histoire en employant des mots justes.

■ Tour à tour des élèves viennent à l'avant de la classe pour enlever un mot vague et le remplacer par le mot juste.

■ Aider les élèves au besoin.

Après

■ Remplir la colonne **Comment ?** dans le gabarit d'enseignement explicite. Les réponses du groupe-classe doivent ressembler autant que possible à l'exemple présenté dans le gabarit d'enseignement explicite (*voir la fiche reproductible 1.44*).

■ Accorder un temps d'objectivation pour discuter de l'importance d'utiliser des mots justes pour s'exprimer ou décrire un objet.

Comment ?

J'utilise des mots justes lorsque :

• je parle à quelqu'un ;
• je veux décrire un objet ;
• j'exprime mes sentiments.

Jour 4

Situation d'enseignement	Objectif de la leçon	Matériel à préparer	Regroupement	Type d'évaluation
Expression orale	**Pratique coopérative** de la stratégie *J'emploie les mots justes*	• Gabarits d'enseignement explicite (*voir les fiches reproductibles 1.1 et 1.44*) affichés dans la classe. • Court texte qui sera lu aux élèves (par exemple, *Une maison pour une marmotte*, voir la fiche reproductible 5.7 sur le site Web). • Les mots doivent être connus des élèves.	En dyades	Évaluation **interactive**. Les élèves s'évaluent et évaluent leurs pairs en comparant leurs réponses et leur habileté à utiliser des mots justes pour s'exprimer et pour décrire un objet.

Le corrigé du texte pouvant être utilisé le Jour 4 est également disponible (*voir la fiche reproductible 5.8 sur le site Web*).

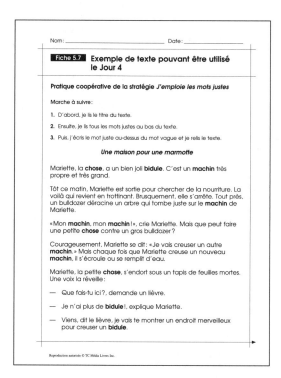

Nom : _____ Date : _____

Fiche 5.7 Exemple de texte pouvant être utilisé le Jour 4

Pratique coopérative de la stratégie *J'emploie les mots justes*

Marche à suivre :

1. D'abord, je lis le titre du texte.
2. Ensuite, je lis tous les mots justes au bas du texte.
3. Puis, j'écris le mot juste au-dessus du mot vague et je relis le texte.

Une maison pour une marmotte

Mariette, la **chose**, a un bien joli **bidule**. C'est un **machin** très propre et très grand.

Tôt ce matin, Mariette est sortie pour chercher de la nourriture. La voilà qui revient en trottinant. Brusquement, elle s'arrête. Tout près, un bulldozer déracine un arbre qui tombe juste sur le **machin** de Mariette.

«Mon **machin**, mon **machin**!», crie Mariette. Mais que peut faire une petite **chose** contre un gros bulldozer?

Courageusement, Mariette se dit : «Je vais creuser un autre **machin**.» Mais chaque fois que Mariette creuse un nouveau **machin**, il s'écroule ou se remplit d'eau.

Mariette, la petite **chose**, s'endort sous un tapis de feuilles mortes. Une voix la réveille :

— Que fais-tu ici?, demande un lièvre.

— Je n'ai plus de **bidule**!, explique Mariette.

— Viens, dit le lièvre, je vais te montrer un endroit merveilleux pour creuser un **bidule**.

Reproduction autorisée © TC Média Livres Inc.

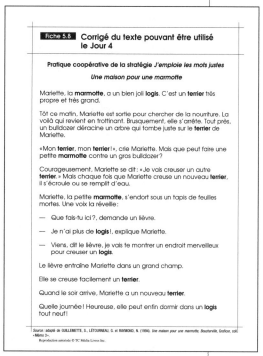

Fiche 5.8 Corrigé du texte pouvant être utilisé le Jour 4

Pratique coopérative de la stratégie *J'emploie les mots justes*

Une maison pour une marmotte

Mariette, la **marmotte**, a un bien joli **logis**. C'est un **terrier** très propre et très grand.

Tôt ce matin, Mariette est sortie pour chercher de la nourriture. La voilà qui revient en trottinant. Brusquement, elle s'arrête. Tout près, un bulldozer déracine un arbre qui tombe juste sur le **terrier** de Mariette.

«Mon **terrier**, mon **terrier**!», crie Mariette. Mais que peut faire une petite **marmotte** contre un gros bulldozer?

Courageusement, Mariette se dit : «Je vais creuser un autre **terrier**.» Mais chaque fois que Mariette creuse un nouveau **terrier**, il s'écroule ou se remplit d'eau.

Mariette, la petite **marmotte**, s'endort sous un tapis de feuilles mortes. Une voix la réveille :

— Que fais-tu ici?, demande un lièvre.

— Je n'ai plus de **logis**!, explique Mariette.

— Viens, dit le lièvre, je vais te montrer un endroit merveilleux pour creuser un **logis**.

Le lièvre entraîne Mariette dans un grand champ.

Elle se creuse facilement un **terrier**.

Quand le soir arrive, Mariette a un nouveau **terrier**.

Quelle journée! Heureuse, elle peut enfin dormir dans un **logis** tout neuf!

Source : adapté de GUILLEMETTE, S., LÉTOURNEAU, G. et RAYMOND, N. (1994). *Une maison pour une marmotte*, Boucherville, Graficor, coll. «Mémo 3».
Reproduction autorisée © TC Média Livres Inc.

Avant

▪ Relire toutes les étapes de la stratégie *J'emploie les mots justes* dans le gabarit d'enseignement explicite (*voir la fiche reproductible 1.44*).

▪ Déterminer avec le groupe-classe à quel moment on peut utiliser cette stratégie et écrire la réponse dans la colonne **Quand?**

▪ Faire un retour sur les pratiques guidées de la journée précédente et expliquer aux élèves qu'ils doivent faire le même genre de travail en dyades.

Quand?

Je peux utiliser cette stratégie quand je m'exprime oralement.

Pendant

■ Expliquer que le travail consiste à lire les phrases et à remplacer les mots vagues par les mots justes.

■ Encourager les dyades à consulter le gabarit d'enseignement explicite de la stratégie *J'emploie les mots justes* affiché dans la classe.

Après

■ Demander à des élèves volontaires de lire les phrases en utilisant d'abord les mots vagues, puis de les relire avec les mots justes.

■ Accorder un temps d'objectivation pour discuter de l'importance d'employer des mots justes pour s'exprimer et se faire comprendre.

Jour 5

Situation d'enseignement	Objectif de la leçon	Matériel à préparer	Regroupement	Type d'évaluation
Expression orale	• **Pratique autonome** • **Évaluation formative** de la stratégie *J'emploie les mots justes*	• Gabarits d'enseignement explicite (*voir les fiches reproductibles 1.1 et 1.44*) affichés dans la classe • Court récit que les élèves peuvent lire et dans lequel des mots vagues remplacent les noms d'objets (par exemple, *Les fabuleuses libellules*, voir la fiche reproductible 5.9 sur le site Web).	Les élèves font ce travail individuellement.	Évaluation **formative** des habiletés des élèves à utiliser de façon autonome la stratégie *J'emploie les mots justes*

Le corrigé du texte pouvant être utilisé le Jour 5 est également disponible (*voir la fiche reproductible 5.10 sur le site Web*).

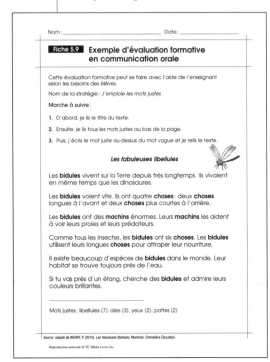

Avant

▦ Distribuer le texte aux élèves.

▦ Dire aux élèves que c'est aujourd'hui qu'a lieu l'évaluation formative de la stratégie *J'emploie les mots justes*.

▦ Indiquer aux élèves que les mots justes qu'ils doivent utiliser pour remplacer les mots vagues sont inscrits au bas de la feuille.

▦ Rappeler aux élèves que lorsqu'un mot vague masculin est remplacé par un mot juste féminin, il faut aussi changer le déterminant, et parfois le pronom et le participe passé.

▦ Lire le texte avec les mots vagues.

▦ Lire les mots justes et les expliquer au besoin.

Pendant

▦ Circuler dans la classe et aider les élèves qui ont de la difficulté à appliquer la stratégie.

Après

▦ Recueillir les évaluations formatives.

▦ Inviter les élèves à émettre leurs opinions au sujet de l'évaluation formative et de l'importance de toujours utiliser le mot juste pour s'exprimer ou pour décrire un objet.

▦ Corriger les évaluations formatives à l'aide de la grille (*voir la fiche reproductible 5.11 sur le site Web*).

▦ À partir des résultats observés, déterminer les interventions à venir afin de répondre aux besoins du groupe-classe.

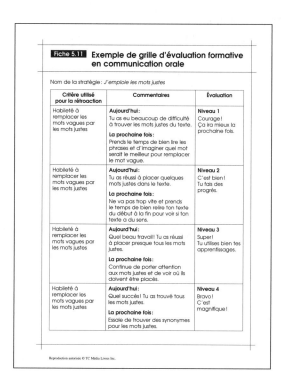

Fiche 5.11 **Exemple de grille d'évaluation formative en communication orale**

Nom de la stratégie : *J'emploie les mots justes*

Critère utilisé pour la rétroaction	Commentaires	Évaluation
Habileté à remplacer les mots vagues par les mots justes	**Aujourd'hui :** Tu as eu beaucoup de difficulté à trouver les mots justes du texte. **La prochaine fois :** Prends le temps de bien lire les phrases et d'imaginer quel mot serait le meilleur pour remplacer le mot vague.	**Niveau 1** Courage ! Ça ira mieux la prochaine fois.
Habileté à remplacer les mots vagues par les mots justes	**Aujourd'hui :** Tu as réussi à placer quelques mots justes dans le texte. **La prochaine fois :** Ne va pas trop vite et prends le temps de bien relire ton texte du début à la fin pour voir si ton texte a du sens.	**Niveau 2** C'est bien ! Tu fais des progrès.
Habileté à remplacer les mots vagues par les mots justes	**Aujourd'hui :** Quel beau travail ! Tu as réussi à placer presque tous les mots justes. **La prochaine fois :** Continue de porter attention aux mots justes et de voir où ils doivent être placés.	**Niveau 3** Super ! Tu utilises bien tes apprentissages.
Habileté à remplacer les mots vagues par les mots justes	**Aujourd'hui :** Quel succès ! Tu as trouvé tous les mots justes. **La prochaine fois :** Essaie de trouver des synonymes pour les mots justes.	**Niveau 4** Bravo ! C'est magnifique !

Récapitulatif

Un exemple de déroulement d'un bloc de littératie pour l'enseignement d'une stratégie de communication orale

	Semaine 1 **Enseignement explicite d'une stratégie de compréhension** **en communication orale**
Jour 1	**Introduction à la stratégie:** l'enseignant présente un exemple de la stratégie.
Jour 2	**Modelage:** l'enseignant fait la démonstration de la stratégie.
Jour 3	**Pratique guidée:** l'enseignant fait la démonstration de la stratégie avec quelques élèves.
Jour 4	**Pratique coopérative:** les élèves s'exercent avec la stratégie (enseignement réciproque en dyades).
Jour 5	**Pratique autonome:** évaluation formative de la stratégie à l'étude – voir l'exemple (*fiche reproductible 5.9 sur le site Web*) et la grille d'évaluation (*fiche reproductible 5.11 sur le site Web*)

Parler, écouter, comprendre, communiquer

La communication orale est omniprésente. À l'école, comme dans la société dont les jeunes font partie, il faut communiquer pour réussir et assumer son identité. Les élèves ont donc besoin de mots justes pour exprimer ce qu'ils ressentent et verbaliser leurs convictions. Ils doivent apprendre à émettre clairement leurs idées et à écouter attentivement les messages qui leur sont livrés afin d'y réagir clairement et correctement.

L'acquisition de ces compétences se doit d'être une des plus grandes priorités des enseignants, car c'est la salle de classe d'aujourd'hui qui prépare les intervenants de demain.

Chapitre 6

Les communautés d'apprentissage professionnelles

Pourquoi un chapitre sur les communautés d'apprentissage professionnelles ?

Dans l'introduction, nous avons mentionné que lorsque nous avons mis en route nos premiers blocs de littératie, nous avons eu le grand bonheur de travailler en communautés d'apprentissage professionnelles (CAP). Si nous avons réussi, c'est bien grâce au soutien de nos équipes-écoles avec lesquelles nous avons appris à organiser et à gérer notre enseignement en fonction des besoins de nos élèves. Il est donc de mise, nous semble-t-il, de terminer le présent ouvrage en traitant du rôle et de la pertinence des CAP dans le succès des blocs de littératie.

Les blocs de littératie requièrent une planification minutieuse, laquelle exige temps et ressources. Toutefois, ce travail devient moins lourd lorsqu'il est préparé en équipe de collaboration, en plus de créer une dynamique de partage et d'échange au sein du groupe. Motivé par un esprit d'entraide, le personnel enseignant travaillant en CAP discute non seulement de stratégies et de choix de textes, mais aussi de gestion de classe, d'évaluation, d'harmonisation des pratiques et d'interventions spécifiques susceptibles d'améliorer le rendement des élèves. Le temps imparti aux CAP est important et fécond, car tous les espoirs sont permis lorsque des enseignants décident de faire route ensemble vers un but précis, en l'occurrence la réussite des élèves.

Nous combinons dans le présent chapitre les notions théoriques et fonctionnelles définissant les CAP et leur rôle dans l'élaboration des blocs de littératie.

D'où viennent les CAP ?

Les CAP ont été constituées dans le but très particulier d'améliorer le rendement des élèves et des écoles. Elles misent sur le partage des expertises du personnel enseignant et sur la mission collective de l'école d'assurer la réussite de tous les élèves qui la fréquentent.

Issues de la recherche américaine de Richard et Rebecca DuFour et de Robert Eaker à la fin des années 1990, les CAP invitent les enseignants à s'engager dans une culture scolaire de collaboration et de réussite[1]. Pour ce faire, DuFour, DuFour et Eaker (1998) soulèvent quatre questions fondamentales pour la mise en œuvre du travail en CAP :

« Que voulons-nous que les élèves apprennent ?

Comment saurons-nous que les élèves ont appris ?

Que ferons-nous lorsque certains élèves n'auront pas appris ?

Que ferons-nous lorsque certains élèves auront déjà assimilé l'apprentissage ? »

Dans une école, la cohérence des pratiques pédagogiques et l'harmonisation des façons de faire pour enseigner et évaluer ne sont pas le fruit du hasard. Elles s'appuient sur une culture émergente de coopération à laquelle les professionnels de l'éducation aspirent dans le but d'améliorer à la fois leur enseignement et le rendement des élèves.

Hulley et Dier (2005) décrivent les enseignants comme étant « les artisans des havres d'espoir » et c'est bien de cette façon qu'il faut considérer les écoles qui ont mis sur pied des CAP. Celles-ci sont véritablement des « havres de renouveau » regroupant des gens passionnés par leur profession et inspirés par la quête de l'excellence. Ils réfléchissent et s'engagent ensemble pour combiner les connaissances et les compétences dont les élèves tirent profit.

C'est à partir d'une organisation responsable menée par des professionnels enthousiastes que les CAP peuvent mener à terme d'importants projets pédagogiques susceptibles de faire une différence dans la vie et la réussite d'une école. Le bloc de littératie est l'un de ces projets déterminants.

Comment les CAP fonctionnent-elles ?

Afin de saisir toute l'importance des CAP dans l'élaboration des blocs de littératie, nous définissons leur fonctionnement comme suit[2] :

- la raison d'être des CAP ;

- la formation des CAP ;

- les normes de fonctionnement ;

- les objectifs mesurables (SMART) ;

---

1. Le travail en CAP a vu le jour au Canada au début des années 2000, et plus particulièrement en Ontario sous l'autorité de Michael Fullan.
2. Pour en apprendre davantage sur les CAP, vous pouvez consulter les deux ouvrages suivants : LECLERC, M. (2012). *Communauté d'apprentissage professionnelle, Guide à l'intention des leaders scolaires*, Québec, Presses de l'Université du Québec.
ROBERTS, S. M. et EUNICE, Z. P. (2009). *Les communautés d'apprentissage professionnelles*, Montréal, Chenelière Éducation.

- le fonctionnement des CAP et la fréquence des rencontres ;
- l'utilisation de l'ordre du jour et des feuilles de route ;
- la pyramide d'interventions pour le bloc de littératie ;
- l'organisation des camps d'entraînement.

La raison d'être des CAP

Aucun changement n'est possible dans une école tant que les enseignants n'ont pas compris clairement les notions théoriques qui justifient l'adoption d'un nouveau paradigme et qu'ils n'ont pas décidé d'adhérer à cette transformation. Il est donc primordial que les premières rencontres en CAP précisent les conditions relatives à la mise en œuvre d'un modèle d'enseignement visant l'amélioration du rendement des élèves par le travail en collaboration du personnel enseignant. Pour qu'une culture de partage, de soutien et de progrès puisse s'établir dans une institution scolaire, il faut comprendre que changer les façons de faire prend un certain temps. Recomposer étape par étape les pratiques existantes et proposer un virage professionnel menant à une culture autre que celle déjà bien établie exigent d'être fermement convaincu de l'importance du changement et de l'accueil inconditionnel de l'autre comme personne ayant droit à ses opinions et ses doutes.

La figure 6.1 (*voir la page suivante*) reprend les fondements qui guident le travail en CAP.

La formation des CAP

Les CAP regroupent tous les membres du personnel enseignant d'une école ainsi que le ou les membres de la direction. Des représentants des conseils scolaires (surintendants, coordonnateurs pédagogiques, conseillers pédagogiques, orthopédagogues, enseignants en adaptation scolaire, etc.) sont invités à participer à titre de personnes ressources. Les séances en CAP sont animées par la direction de l'école ou son représentant, le « leader pédagogique » en littératie ou tout autre enseignant chevronné.

Les normes de fonctionnement en CAP

Il est nécessaire d'intégrer plusieurs éléments de fonctionnement au travail des équipes de collaboration afin d'assurer le succès des rencontres en CAP. Les éléments présentés ci-dessous concernent la mise en œuvre des blocs de littératie.

- Les enseignants connaissent, comprennent et appliquent les énoncés de vision et de mission de leur école au sujet de la réussite en littératie pour le succès de l'élève à l'école et en société.
- Les enseignants travaillent à des objectifs communs en littératie et dressent des objectifs spécifiques et mesurables (SMART) qui leur fourniront des résultats probants d'amélioration (*voir la figure 6.1*).

Figure 6.1 | **Les éléments de mise en œuvre des CAP**

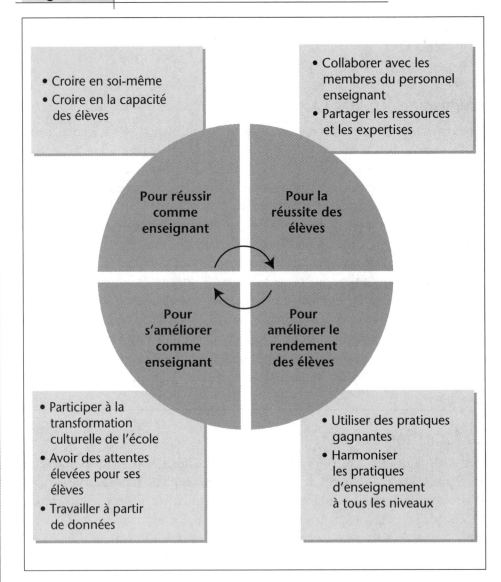

- Croire en soi-même
- Croire en la capacité des élèves

- Collaborer avec les membres du personnel enseignant
- Partager les ressources et les expertises

Pour réussir comme enseignant

Pour la réussite des élèves

Pour s'améliorer comme enseignant

Pour améliorer le rendement des élèves

- Participer à la transformation culturelle de l'école
- Avoir des attentes élevées pour ses élèves
- Travailler à partir de données

- Utiliser des pratiques gagnantes
- Harmoniser les pratiques d'enseignement à tous les niveaux

■ Les enseignants recueillent et analysent des données portant sur les résultats des élèves afin de cibler les interventions susceptibles de bien améliorer le rendement des élèves en littératie.

■ Les enseignants harmonisent leurs pratiques d'enseignement en tenant compte des objectifs établis. Par exemple, pour les blocs de littératie, tous s'entendent sur :

– l'utilisation de l'enseignement explicite des stratégies de lecture, d'écriture et de communication orale ;

– l'élaboration de la première période du bloc de littératie ;

– l'utilisation de l'enseignement différencié en lecture et en écriture guidées ;

– la mise sur pied des centres de littératie ;

– l'utilisation du mur de mots pour l'acquisition de vocabulaire ;

- la mise en œuvre de stratégies à rendement élevé ciblant l'amélioration du rendement des élèves (modelage, pratiques coopératives, lecture et écriture autonomes, objectivation et autoévaluation, évaluations diagnostiques, interactives, formatives et sommatives);

- le partage des ressources et des idées pour l'élaboration de la deuxième période du bloc de littératie.

- Les enseignants procèdent à des exercices de calibrage (analyse collective des évaluations sommatives) afin d'harmoniser leurs pratiques évaluatives.

- Les enseignants discutent de leurs préoccupations dans le respect des différences d'opinions, s'expriment à tour de rôle en permettant à tous d'émettre leur point de vue et en reconnaissant l'importance du consensus.

L'établissement d'un objectif spécifique et mesurable

Tout objectif pédagogique visant l'amélioration du rendement de l'élève doit être élaboré à partir d'objectifs spécifiques et mesurables. L'expression «objectif SMART» (Conzemius et O'Neill, 2002) se rencontre parfois dans les ouvrages traitant des CAP pour définir les critères d'un objectif pédagogique. Afin qu'ils soient vraiment efficaces, ces objectifs se doivent d'être:

- spécifiques et stratégiques;

- mesurables;

- atteignables;

- axés sur des résultats probants;

- limités dans le temps.

Ainsi, selon les critères énumérés précédemment, au moment de préparer un bloc de littératie en CAP, un objectif pédagogique pourrait se lire comme suit:

> 70% des élèves de 7 et 8 ans (3e année) réussiront la stratégie *Je trouve l'ordre chronologique* en atteignant le Niveau 3 de l'évaluation sommative en lecture à la fin du bloc de littératie d'octobre 2014.

Encadré 6.1 | SMART

S – spécifique (70% des élèves) et stratégique (de 3e année)

M – mesurable (réussiront la stratégie *Je trouve l'ordre chronologique*)

A – atteignable (en atteignant le Niveau 3)

R – résultats probants (à l'évaluation sommative en lecture)

T – temps (à la fin du bloc de littératie d'octobre 2014)

L'élaboration d'un objectif spécifique et mesurable (SMART) est fortement recommandée pour le travail en CAP.

Si nous observons les critères de l'objectif un par un, nous constatons que l'acronyme «SMART» indique la première lettre de chaque élément de la rédaction de l'objectif (*voir l'encadré 6.1*).

Le fonctionnement des CAP et la fréquence des rencontres

Idéalement, les CAP se réunissent une journée par mois ou toutes les deux semaines (à raison d'une demi-journée) selon les normes de fonctionnement établies par l'équipe-école. Les rencontres ont lieu durant le temps de classe et les enseignants sont remplacés par des suppléants qualifiés. Des séances en CAP peuvent se dérouler après les heures de classe, mais celles-ci sont de courte durée. Dans ce cas, la réunion mensuelle du personnel enseignant doit se tenir à un autre moment.

La direction de l'école doit fournir aux enseignants réunis en équipe de collaboration un local et les ressources nécessaires à un travail efficace. Ce local doit être aménagé avec les fournitures scolaires nécessaires (cahiers à anneaux, ordinateurs, TBI, tables, chaises). Il est préférable que cette salle soit réservée uniquement aux rencontres de la CAP.

L'utilisation de l'ordre du jour et des feuilles de route

Les enseignants réunis en rencontres collaboratives utilisent un ordre du jour (*voir l'encadré 6.2*) et une feuille de route (*voir la fiche reproductible 6.1 sur le site Web*). Ils en remettent une copie à la direction de l'école à la fin de la séance.

La pyramide d'interventions pour la mise en œuvre du bloc de littératie

La pyramide d'interventions présente de façon séquentielle chacune des étapes à suivre pour enseigner et évaluer une stratégie de lecture ou d'écriture. Lors des rencontres de CAP, les enseignants ont souvent recours à ce procédé pour déterminer les étapes menant à l'atteinte d'un objectif pédagogique (SMART).

Prenons l'exemple de l'élaboration de la stratégie *Je trouve l'ordre chronologique*. L'équipe enseignante réfléchit, discute et inscrit sur la pyramide les ressources nécessaires à l'enseignement de la stratégie (choix de textes, choix des phrases à utiliser pour le modelage et les pratiques) ainsi que les travaux devant être faits par les élèves (centres de littératie, évaluations formative et sommative). Il est aussi possible d'ajouter des activités de consolidation destinées aux élèves qui assimileront plus lentement la stratégie et qui auront besoin d'un soutien supplémentaire, de même que des activités d'intégration et d'enrichissement pour les élèves qui peuvent aller plus loin.

Les pyramides d'interventions permettent aux équipes de CAP d'harmoniser leurs pratiques pédagogiques et évaluatives, ou de préparer d'autres interventions pertinentes pour l'enseignement d'une stratégie de lecture ou d'écriture.

Nom de l'école : **L'école de la réussite**

Mission : **L'apprentissage pour tous, par tous les moyens**

Date de la rencontre : _____

Noms des membres : _____

Objectif (SMART) : 70 % des élèves de 3ᵉ année (7 et 8 ans) réussiront la stratégie *Je trouve l'ordre chronologique* en atteignant le Niveau 3, à l'évaluation sommative en lecture, à la fin du bloc de littératie d'octobre 2014.

☐ Retour sur l'objectif

☐ Retour sur les progrès accomplis avec le bloc de littératie depuis la dernière rencontre

☐ Partage des pratiques réussies (p. ex. : centres de littératie, choix de textes)

☐ Partage de ressources et développement d'outils de travail (p. ex. : évaluations, activités de la deuxième période de 60 minutes)

☐ Calibrage des données recueillies : ☐ évaluation formative ☐ évaluation sommative

☐ Dialogue pédagogique :

   • prochaines étapes en vue de l'atteinte de l'objectif ;

   • ce qui doit être fait avant la prochaine rencontre.

☐ Autres

Date de la prochaine rencontre : _____

Loin « d'abandonner le navire » devant les résultats parfois décevants des évaluations sommatives, les équipes de CAP cherchent sans relâche à atteindre leurs objectifs et à trouver des manières d'aider leurs élèves. Un gabarit de pyramide d'interventions est présenté sur le site Web (*voir la fiche reproductible 6.2 sur le site Web*).

Nous suggérons à tous les membres du personnel enseignant travaillant en équipe de collaboration de se munir d'un « cartable CAP » afin d'y ranger les ordres du jour, les feuilles de route, les objectifs « SMART », les pyramides d'interventions et tout autre document pertinent.

Les camps d'entraînement et leur gestion en CAP

Une intervention intéressante susceptible de soutenir et de motiver l'apprentissage est celle des « camps d'entraînement », qui représentent une autre stratégie à rendement élevé pour améliorer les résultats des élèves.

Il est possible de recourir occasionnellement à ce type d'intervention durant l'année scolaire, lorsqu'après l'analyse d'une évaluation sommative, les enseignants réunis en CAP se rendent compte que les élèves ont besoin d'une aide plus soutenue au regard d'une stratégie de lecture ou d'écriture donnée.

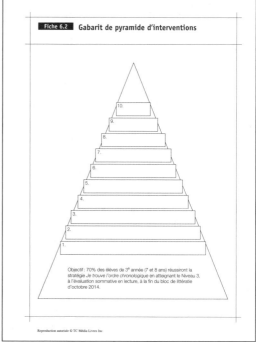

Les camps d'entraînement sont des périodes d'intervention intensive en littératie regroupant les élèves selon leurs besoins. Ces périodes sont intégrées à l'horaire à raison de 40 minutes, deux fois par semaine durant quatre semaines au cours d'un trimestre ou d'un semestre. Les élèves se rendent dans le local assigné à leur groupe où ils font des activités appropriées à leurs besoins. Il est préférable de donner des noms aux groupes au lieu de les identifier par leur niveau de compétence.

Les camps d'entraînement permettent aux élèves éprouvant des difficultés de raffermir leur compréhension des nouveaux concepts ou de rectifier les méprises survenues en cours d'apprentissage. Pour les élèves qui performent au-delà de la norme, il s'agit plutôt d'enrichir leurs compétences.

La mise en œuvre des camps d'entraînement est plus facile dans les écoles ayant plus d'une classe par niveau scolaire. L'exemple A pourrait être facilement mis en œuvre dans une école comptant quatre classes par niveau. Toutefois, il est possible d'effectuer d'autres types de jumelages lorsque les écoles ont un moins grand nombre de classes ou seulement des niveaux doubles (*voir l'exemple B*).

Exemple A

Élèves de 7 et 8 ans (3e année)

Stratégie à travailler : *Je trouve l'ordre chronologique*

■ L'enseignant A reçoit les élèves du Niveau 1 (compréhension limitée) et présente des activités de renforcement pour l'intégration de la stratégie.

■ L'enseignant B reçoit les élèves du Niveau 2 (compréhension partielle) et présente des activités d'amélioration pour l'intégration de la stratégie.

■ L'enseignant C reçoit les élèves du Niveau 3 (compréhension juste, correspondant à la norme) et présente des activités de consolidation pour l'intégration de la stratégie.

■ L'enseignant D reçoit les élèves du Niveau 4 (compréhension au-delà de la norme) et présente des activités d'enrichissement pour l'intégration de la stratégie.

Exemple B

■ L'enseignant A reçoit les élèves des Niveaux 1 et 2.

■ L'enseignant B reçoit les élèves des Niveaux 3 et 4.

Pour les niveaux doubles ou classes à âges multiples, si la même stratégie a été enseignée aux deux groupes, les regroupements seront les mêmes.

Il existe toutes sortes de combinaisons possibles pour mettre sur pied les camps d'entraînement ; il s'agit de conjuguer les efforts de tous. Enseignants et direction s'entendent pour effectuer les changements à l'horaire que nécessite ce genre d'intervention. Les enseignants responsables des camps d'entraînement se rencontrent en CAP afin de se consacrer au travail que nécessite la création du matériel requis pour ce genre d'enseignement.

Avant de commencer les camps d'entraînement, il est de mise d'expliquer aux parents que pour une durée de quelques semaines un temps fixe sera intégré à l'horaire de leur enfant pour l'amélioration du rendement en littératie et que, par conséquent, certains d'entre eux auront un enseignant différent (deux fois par semaine) de celui qu'ils ont habituellement.

Les interventions directes de renforcement (Niveau 1), d'amélioration (Niveau 2) et de consolidation (Niveau 3) des camps d'entraînement peuvent faire toute une différence pour les élèves. Ils augmentent leurs capacités cognitives et leur confiance en soi. Pour d'autres, le temps passé en enrichissement (Niveau 4) constitue une belle occasion de renouveler leur motivation et leur créativité.

Les interventions intensives des camps d'entraînement favorisent la réussite optimale de tous les élèves. À la fin des séances prévues à l'horaire qui s'étendent sur quatre semaines, il est très agréable d'organiser une petite fête pour célébrer les efforts et les succès de tous.

Voir la vie autrement

Pour vivre ensemble les étapes d'un changement efficace et durable, le personnel enseignant doit se sentir appuyé dans son cheminement. Le changement institutionnel ne se fait pas du jour au lendemain et les personnes concernées par cette évolution du cadre habituel de fonctionnement doivent être encouragées et soutenues tout au long du processus de transformation. Un leadership solide, de tous les instants, convaincu et mobilisateur de la part de la direction de l'école, sera un grand élément de motivation.

Il y aurait encore beaucoup à dire au sujet des CAP et sur l'importance du leadership qu'elles exigent, mais nous nous arrêtons ici. Il suffit de souligner que les CAP représentent un changement bénéfique qui, une fois installé dans une école, devient source d'autonomie, de créativité, de bonheur et d'accomplissement.

Tous pour un et un pour tous ! Cette vieille expression est très explicite.

> « [...] les changements significatifs requièrent d'aborder les choses sous un angle nouveau. »
> Hulley et Dier, 2005.

Conclusion

« En outre, nous croyons que les élèves qui se présentent chaque jour dans nos classes sont les meilleurs enfants qui soient, et notre responsabilité consiste à les aider à apprendre dans une culture d'espoir. »

Hulley et Dier, 2005.

Enseigner la réussite en littératie

Enseigner la réussite en littératie est l'œuvre de nos carrières d'enseignantes. Quel plaisir d'avoir partagé notre expérience avec vous !

Comme tant d'autres enseignants, nous avons vécu les blocs de littératie avec tout ce qu'ils exigent de travail. Nous avons connu l'effervescence des nouveaux départs, mais quelques fois, aussi, le doute et l'hésitation quant à leur mise en œuvre. Cependant, notre conviction était inébranlable et elle le demeure encore aujourd'hui : c'est l'enseignement de qualité qui améliore le rendement de l'élève.

Les blocs de littératie sont à l'heure actuelle de véritables « passeports pour la réussite » et notre désir est que le lecteur se sente appuyé au moment de préparer ses « 120 minutes » de littératie. Nous espérons que les blocs de littératie feront partie de votre quotidien et que vos efforts seront couronnés de succès.

Surtout, n'abandonnez pas après une première lecture du présent ouvrage. Il faudra sûrement en relire certaines parties plus d'une fois pour bien maîtriser ses contenus et ses directives. Il y aurait tout à gagner si la lecture de *120 minutes pour réussir en littératie* était partagée entre collègues. Cela permettrait un premier échange d'idées et peut-être même un partage de ressources. Le travail d'équipe est toujours la meilleure formule pour réussir les blocs de littératie. Il s'agit d'y croire et de se donner le temps qu'il faut.

Nos saisons et nos jours ont été marqués par le bonheur d'enseigner la lecture et l'écriture. Nous avons été enchantées par le monde de la littératie et le plus beau cadeau que nous pouvions recevoir, c'était de voir nos élèves réussir. De tout cœur, nous vous souhaitons de vivre cette joie, absolument magnifique !

Raymonde et Christiane

N'hésitez pas à communiquer avec nous, si vous avez le goût de vivre les blocs de littératie dans vos salles de classe. Nous pouvons vous accompagner. C'est facile, nous sommes au bout d'un courriel.

Pour nous joindre

Raymonde : rmalette@hotmail.com

Christiane : cevinet@sympatico.ca

Annexe A

L'enseignement explicite d'une stratégie

Fiche 1.1   L'enseignement explicite d'une stratégie

Nom de la stratégie :

Quoi ?	Pourquoi ?	Comment ?	Quand ?

Annexe B

Les stratégies de lecture

Fiche 1.2 J'anticipe et je fais des prédictions

Stratégie de lecture

Quoi ?	Pourquoi ?	Comment ?	Quand ?
• C'est trouver des indices dans le texte (dessins, titres, illustrations, etc.) avant de commencer à lire. • C'est penser à ce qui va arriver dans l'histoire.	Il est important d'anticiper et de faire des prédictions pour : • me faire une idée de ce que je vais lire ; • m'aider à reconnaître la structure du texte ; • me permettre de vérifier si j'ai des connaissances sur le sujet.	1. Je lis le titre et je pense à ce que je connais du sujet. 2. Je regarde les images, les sous-titres, les mots en caractères gras et je me questionne. 3. Je me sers de cette information pour anticiper ce qui va se passer dans le texte.	Je peux utiliser cette stratégie quand je dois lire et que je dois répondre à des questions.

Source : adapté du MINISTÈRE DE L'ÉDUCATION DE L'ONTARIO (2007). *Guide d'enseignement efficace en matière de littératie de la 4ᵉ à la 6ᵉ année*, Fascicule 6, Toronto, Ministère de l'Éducation de l'Ontario.

Fiche 1.3 Je lis par groupes de mots

Stratégie de lecture

Quoi ?	Pourquoi ?	Comment ?	Quand ?
C'est lire des mots jusqu'à ce que je puisse voir une image dans ma tête.	Lire par groupes de mots est important pour : • mieux comprendre les phrases ; • m'aider à retenir l'information du texte ; • me permettre de dégager l'essentiel et d'éliminer le superflu.	1. Je lis un premier groupe de mots et je me fais une image. 2. Je continue jusqu'à ce que le groupe de mots crée une image dans ma tête. 3. Si c'est nécessaire, je remplace un mot nouveau par un mot que je connais et je me demande si cela a du sens. 4. Je passe à la phrase suivante quand j'ai une image claire et que je comprends ce que je viens de lire.	Je peux utiliser cette stratégie quand je ne comprends pas le sens d'une phrase plus longue.

Source : adapté du MINISTÈRE DE L'ÉDUCATION DE L'ONTARIO (2007). *Guide d'enseignement efficace en matière de littératie de la 4e à la 6e année,* Fascicule 6, Toronto, Ministère de l'Éducation de l'Ontario.

Fiche 1.4   Je trouve le sens d'un mot nouveau

Stratégie de lecture

Quoi ?

C'est trouver un sens aux mots que je ne comprends pas en utilisant des indices.

Pourquoi ?

Trouver le sens d'un mot nouveau est important pour :

- mieux comprendre un texte ;
- me permettre de comprendre ces mots nouveaux lorsque je les vois dans d'autres textes.

Comment ?

1. Je me demande de quoi parle le texte.
2. Je regarde les illustrations pour me donner des idées.
3. Je relis la partie de phrase qui vient avant ou après le mot nouveau en essayant de comprendre.
4. J'essaie de trouver un mot que je connais qui ressemble au mot nouveau.
5. Je me fais une idée et je relis la phrase en remplaçant le mot nouveau par un synonyme.
6. Si la phrase a du sens, cela veut dire que j'ai compris le mot nouveau.

Quand ?

Je peux utiliser cette stratégie quand je lis un texte dans lequel je trouve des mots nouveaux qui m'empêchent de comprendre le sens de la phrase.

Source: adapté du MINISTÈRE DE L'ÉDUCATION DE L'ONTARIO (2007). *Guide d'enseignement efficace en matière de littératie de la 4e à la 6e année*, Fascicule 6, Toronto, Ministère de l'Éducation de l'Ontario.

Fiche 1.5 Je reconnais les mots de substitution

Stratégie de lecture

Quoi ?	Pourquoi ?	Comment ?	Quand ?
Lorsque je lis un mot comme *il, elle, lui, nous*, etc., j'essaie de trouver quel mot il remplace.	Reconnaître les mots de substitution est important pour : • me permettre de savoir de qui ou de quoi parle le texte et de mieux comprendre la phrase.	1. Je repère le mot de substitution. 2. Je me demande de qui ou de quoi on parle quand on utilise ce mot. 3. Je relis la phrase ou une partie de la phrase pour trouver le mot qui a été remplacé. 4. J'utilise le mot que j'ai repéré à la place du *il, elle*, etc., pour en vérifier le sens.	Je peux utiliser cette stratégie quand je rencontre un mot comme *il, elle*, etc., et quand je m'aperçois que je ne sais plus de qui ou de quoi on parle.

Source : adapté du MINISTÈRE DE L'ÉDUCATION DE L'ONTARIO (2007). *Guide d'enseignement efficace en matière de littératie de la 4e à la 6e année*, Fascicule 6, Toronto, Ministère de l'Éducation de l'Ontario.

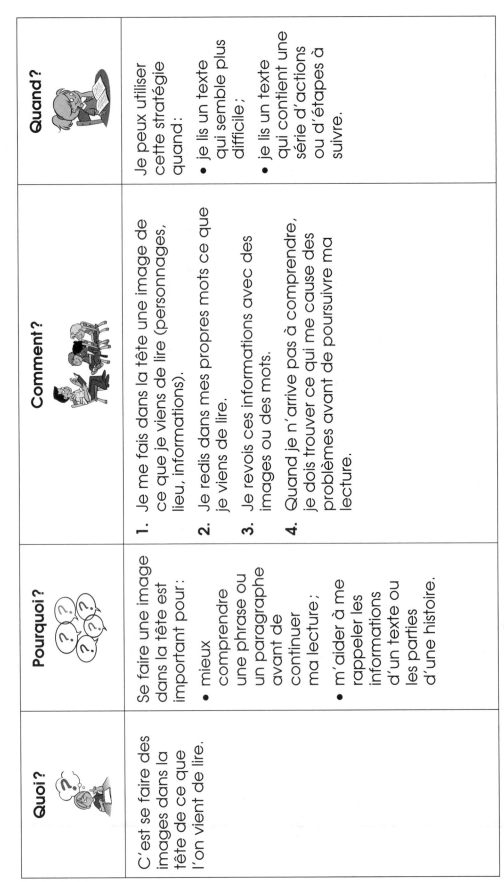

Fiche 1.6 — Je me fais une image dans la tête

Stratégie de lecture

Quoi?

C'est se faire des images dans la tête de ce que l'on vient de lire.

Pourquoi?

Se faire une image dans la tête est important pour :

- mieux comprendre une phrase ou un paragraphe avant de continuer ma lecture ;
- m'aider à me rappeler les informations d'un texte ou les parties d'une histoire.

Comment?

1. Je me fais dans la tête une image de ce que je viens de lire (personnages, lieu, informations).
2. Je redis dans mes propres mots ce que je viens de lire.
3. Je revois ces informations avec des images ou des mots.
4. Quand je n'arrive pas à comprendre, je dois trouver ce qui me cause des problèmes avant de poursuivre ma lecture.

Quand?

Je peux utiliser cette stratégie quand :

- je lis un texte qui semble plus difficile ;
- je lis un texte qui contient une série d'actions ou d'étapes à suivre.

Source: adapté du MINISTÈRE DE L'ÉDUCATION DE L'ONTARIO (2007). *Guide d'enseignement efficace en matière de littératie de la 4e à la 6e année*, Fascicule 6, Toronto, Ministère de l'Éducation de l'Ontario.

Fiche 1.7 Je reconnais la structure d'un récit

Stratégie de lecture

Quoi ?	Pourquoi ?	Comment ?	Quand ?
C'est trouver toutes les parties d'un récit : le début, le milieu et la fin.	Reconnaître la structure d'un récit est important pour : • me permettre de mieux comprendre l'histoire ; • me rappeler les éléments importants du récit.	1. Je me souviens des étapes du récit : début, milieu et fin. 2. Je trouve dans le texte les éléments qui correspondent à ces différentes parties du récit en me posant les questions : • Début : Où et quand se passe l'histoire ? Qui sont les personnages ? Que font-ils ? • Milieu : Quel est le problème ? Qu'est-il arrivé ? • Fin : Comment se termine l'histoire ? 3. Je représente le récit que j'ai lu à l'aide d'un dessin, d'une ligne de temps ou d'une constellation.	Je peux utiliser cette stratégie quand je lis un texte.

Source: adapté du MINISTÈRE DE L'ÉDUCATION DE L'ONTARIO (2007). *Guide d'enseignement efficace en matière de littératie de la 4ᵉ à la 6ᵉ année,* Fascicule 6, Toronto, Ministère de l'Éducation de l'Ontario.

Fiche 1.8 — Je trouve le sujet du texte

Stratégie de lecture

Quoi?	Pourquoi?	Comment?	Quand?
C'est trouver de quoi on parle dans l'histoire ou le texte.	Trouver le sujet du texte est important pour : • mieux comprendre un texte et en retenir l'information.	1. Je trouve le mot-clé, c'est-à-dire le mot qui m'aide à comprendre de quoi on parle ici. 2. Je me demande quelles informations ce mot-clé me donne. 3. Je trouve le sujet à partir de cette information.	Je peux utiliser cette stratégie pendant ma lecture.

Source : adapté du MINISTÈRE DE L'ÉDUCATION DE L'ONTARIO (2007). *Guide d'enseignement efficace en matière de littératie de la 4e à la 6e année*, Fascicule 6, Toronto, Ministère de l'Éducation de l'Ontario.

Fiche 1.9 Je comprends les expressions figurées et le sens des messages dans un texte

Stratégie de lecture

Quoi?	Pourquoi?	Comment?	Quand?
C'est comprendre ce qui n'est pas écrit dans le texte en me servant de mes connaissances sur le sujet dont parle le texte.	Comprendre les expressions figurées et le sens des messages dans le texte est important pour : • saisir le sens des expressions et les jeux de mots dans un texte ; • m'aider à comprendre des informations qui ne sont pas écrites directement dans le texte.	1. Je lis le texte et je me demande quelle information je cherche. 2. J'utilise des mots-clés et des expressions qui m'aident à répondre à ma question. 3. Je lis le texte en faisant différentes hypothèses.	Je peux utiliser cette stratégie chaque fois que je lis un texte.

Source : adapté du MINISTÈRE DE L'ÉDUCATION DE L'ONTARIO (2007). *Guide d'enseignement efficace en matière de littératie de la 4e à la 6e année*, Fascicule 6, Toronto, Ministère de l'Éducation de l'Ontario.

Annexe B **149**

Fiche 1.10 Je trouve l'ordre chronologique

Stratégie de lecture

Quoi?	Pourquoi?	Comment?	Quand?
C'est placer toutes les parties d'une histoire en ordre, selon la progression du temps.	Trouver l'ordre chronologique est important pour : • mieux comprendre un texte ; • m'aider à situer les évènements dans une histoire.	1. Je lis le texte et je trouve des mots-clés et des expressions qui m'aident à savoir où placer les évènements dans une histoire : *Il était une fois, d'abord, ensuite, tout à coup, soudain, puis, enfin.* 2. Je trouve les phrases reliées à la situation de départ. 3. Je trouve les phrases reliées à l'événement déclencheur et aux péripéties. 4. Je trouve les phases reliées au dénouement et à la fin. 5. Je place les phrases en ordre selon les mots-clés et je relis toutes mes phrases.	Je peux utiliser cette stratégie quand je veux placer des phrases en ordre selon la progression du temps.

Source: adapté du MINISTÈRE DE L'ÉDUCATION DE L'ONTARIO (2007). *Guide d'enseignement efficace en matière de littératie de la 4e à la 6e année*, Fascicule 6, Toronto, Ministère de l'Éducation de l'Ontario.

Faire appel à ses connaissances personnelles

Stratégie de lecture

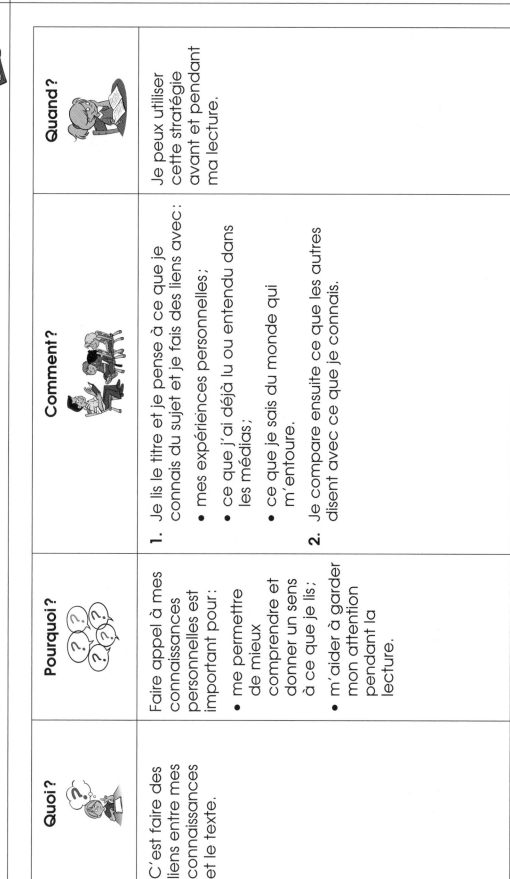

Quoi?	Pourquoi?	Comment?	Quand?
C'est faire des liens entre mes connaissances et le texte.	Faire appel à mes connaissances personnelles est important pour: • me permettre de mieux comprendre et donner un sens à ce que je lis; • m'aider à garder mon attention pendant la lecture.	1. Je lis le titre et je pense à ce que je connais du sujet et je fais des liens avec: • mes expériences personnelles; • ce que j'ai déjà lu ou entendu dans les médias; • ce que je sais du monde qui m'entoure. 2. Je compare ensuite ce que les autres disent avec ce que je connais.	Je peux utiliser cette stratégie avant et pendant ma lecture.

Source: adapté du MINISTÈRE DE L'ÉDUCATION DE L'ONTARIO (2007). *Guide d'enseignement efficace en matière de littératie de la 4ᵉ à la 6ᵉ année*, Fascicule 6, Toronto, Ministère de l'Éducation de l'Ontario.

Fiche 1.12 — Anticiper et prédire

Stratégie de lecture

Quoi ?	Pourquoi ?	Comment ?	Quand ?
C'est prédire ce qui va se passer à partir des indices du texte.	Il est important d'anticiper et de prédire pour : • me permettre de me faire une idée de ce que je vais lire ; • m'aider à reconnaître la structure du texte ; • vérifier si j'ai des connaissances sur le sujet.	1. Je lis le titre et je pense à ce que je connais du sujet. 2. Je fais un survol du texte. 3. J'active mes connaissances antérieures. 4. Je vérifie et révise mes prédictions pendant que je lis.	Je peux utiliser cette stratégie avant et pendant ma lecture.

Source : adapté du MINISTÈRE DE L'ÉDUCATION DE L'ONTARIO (2007). *Guide d'enseignement efficace en matière de littératie de la 4ᵉ à la 6ᵉ année*, Fascicule 6, Toronto, Ministère de l'Éducation de l'Ontario.

Fiche 1.13 Se faire une image

Stratégie de lecture

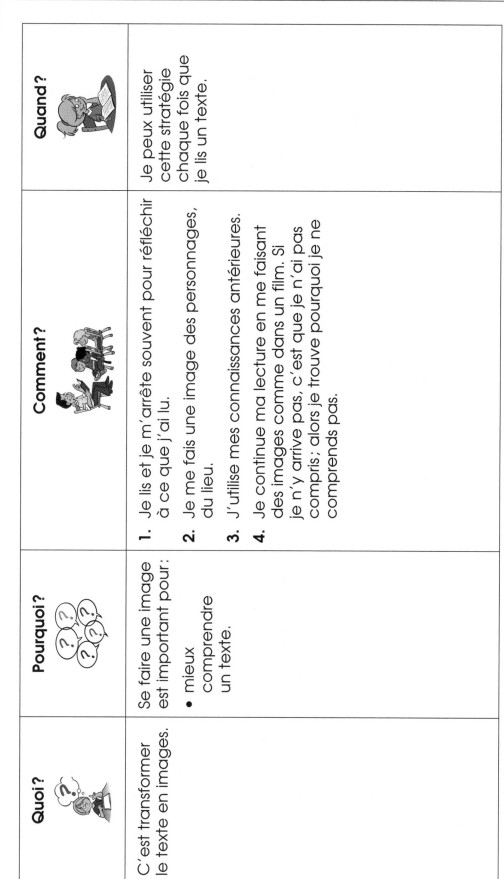

Quoi?	Pourquoi?	Comment?	Quand?
C'est transformer le texte en images.	Se faire une image est important pour : • mieux comprendre un texte.	1. Je lis et je m'arrête souvent pour réfléchir à ce que j'ai lu. 2. Je me fais une image des personnages, du lieu. 3. J'utilise mes connaissances antérieures. 4. Je continue ma lecture en me faisant des images comme dans un film. Si je n'y arrive pas, c'est que je n'ai pas compris; alors je trouve pourquoi je ne comprends pas.	Je peux utiliser cette stratégie chaque fois que je lis un texte.

Source: adapté du MINISTÈRE DE L'ÉDUCATION DE L'ONTARIO (2007). *Guide d'enseignement efficace en matière de littératie de la 4e à la 6e année*, Fascicule 6, Toronto, Ministère de l'Éducation de l'Ontario.

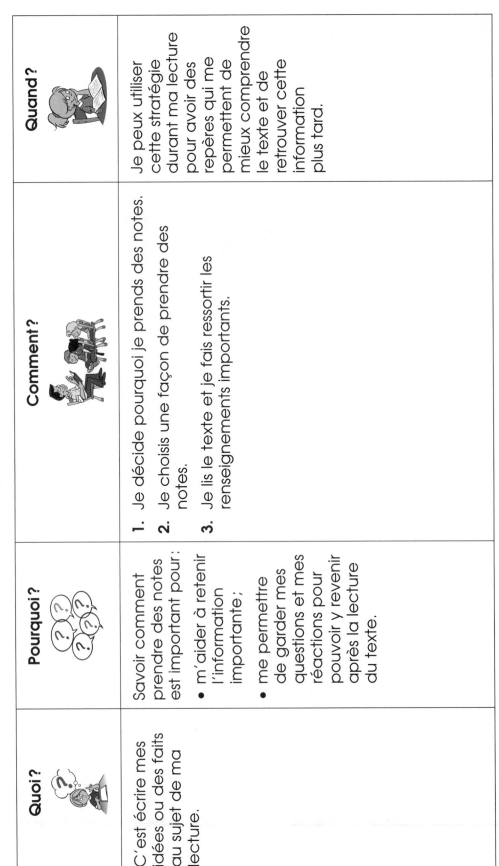

Fiche 1.14 · Savoir comment prendre des notes

Stratégie de lecture

Quoi ?	Pourquoi ?	Comment ?	Quand ?
C'est écrire mes idées ou des faits au sujet de ma lecture.	Savoir comment prendre des notes est important pour : • m'aider à retenir l'information importante ; • me permettre de garder mes questions et mes réactions pour pouvoir y revenir après la lecture du texte.	1. Je décide pourquoi je prends des notes. 2. Je choisis une façon de prendre des notes. 3. Je lis le texte et je fais ressortir les renseignements importants.	Je peux utiliser cette stratégie durant ma lecture pour avoir des repères qui me permettent de mieux comprendre le texte et de retrouver cette information plus tard.

Source : adapté du MINISTÈRE DE L'ÉDUCATION DE L'ONTARIO (2007). *Guide d'enseignement efficace en matière de littératie de la 4ᵉ à la 6ᵉ année*, Fascicule 6, Toronto, Ministère de l'Éducation de l'Ontario.

Fiche 1.15 Se poser des questions

Stratégie de lecture

Quoi ?	Pourquoi ?	Comment ?	Quand ?
C'est formuler des questions sur le texte que je lis.	Se poser des questions est important pour : • m'aider à comprendre les inférences ; • trouver des indices afin de répondre à mes questions ; • vérifier certaines de mes hypothèses.	1. J'écris mes questions pendant que je lis. 2. J'anticipe les réponses possibles. 3. Je cherche des réponses à mes questions dans le texte, en discutant avec les autres ou en faisant une recherche.	Je peux utiliser cette stratégie pour comprendre le texte que je lis.

Source: adapté du MINISTÈRE DE L'ÉDUCATION DE L'ONTARIO (2007). *Guide d'enseignement efficace en matière de littératie de la 4ᵉ à la 6ᵉ année*, Fascicule 6, Toronto, Ministère de l'Éducation de l'Ontario.

Fiche 1.16 **Trouver les idées importantes d'un texte**

Stratégie de lecture

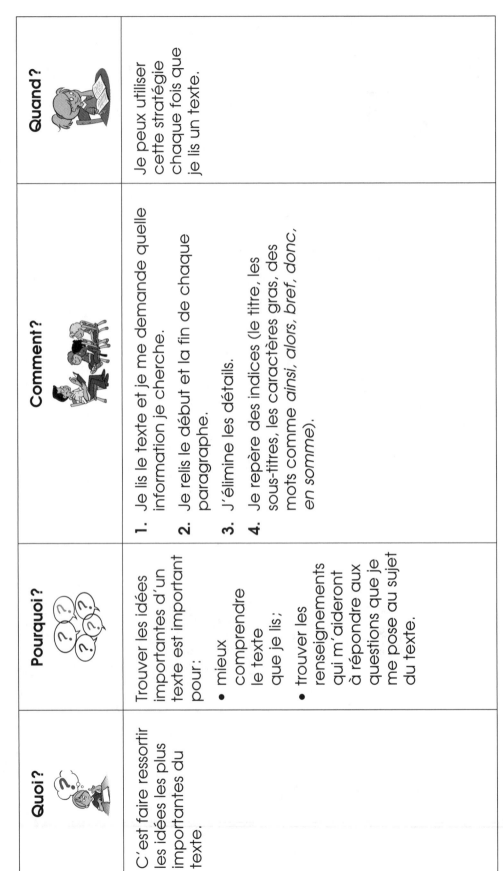

Quoi ?	Pourquoi ?	Comment ?	Quand ?
C'est faire ressortir les idées les plus importantes du texte.	Trouver les idées importantes d'un texte est important pour : • mieux comprendre le texte que je lis ; • trouver les renseignements qui m'aideront à répondre aux questions que je me pose au sujet du texte.	1. Je lis le texte et je me demande quelle information je cherche. 2. Je relis le début et la fin de chaque paragraphe. 3. J'élimine les détails. 4. Je repère des indices (le titre, les sous-titres, les caractères gras, des mots comme *ainsi, alors, bref, donc, en somme*).	Je peux utiliser cette stratégie chaque fois que je lis un texte.

Source : adapté du MINISTÈRE DE L'ÉDUCATION DE L'ONTARIO (2007). *Guide d'enseignement efficace en matière de littératie de la 4e à la 6e année*, Fascicule 6, Toronto, Ministère de l'Éducation de l'Ontario.

Fiche 1.17 Comprendre les inférences

Stratégie de lecture

Quoi ?	Pourquoi ?	Comment ?	Quand ?
• C'est déduire ce qui n'est pas écrit en me servant des informations du texte et de mes connaissances. • C'est « lire entre les lignes ».	Comprendre les inférences est important pour : • avoir une meilleure compréhension du texte ; • apprécier le texte que je lis.	1. Je lis le texte et je me demande quelle information je cherche. 2. Je repère les mots importants qui m'aident à répondre à la question posée (je surligne, j'encercle ou je transcris ces mots). 3. Je lis le texte en faisant des hypothèses et en les vérifiant à l'aide des nouvelles informations.	Je peux utiliser cette stratégie chaque fois que je lis un texte.

Source : adapté du MINISTÈRE DE L'ÉDUCATION DE L'ONTARIO (2007). *Guide d'enseignement efficace en matière de littératie de la 4e à la 6e année*, Fascicule 6, Toronto, Ministère de l'Éducation de l'Ontario.

Vérifier sa compréhension

Stratégie de lecture

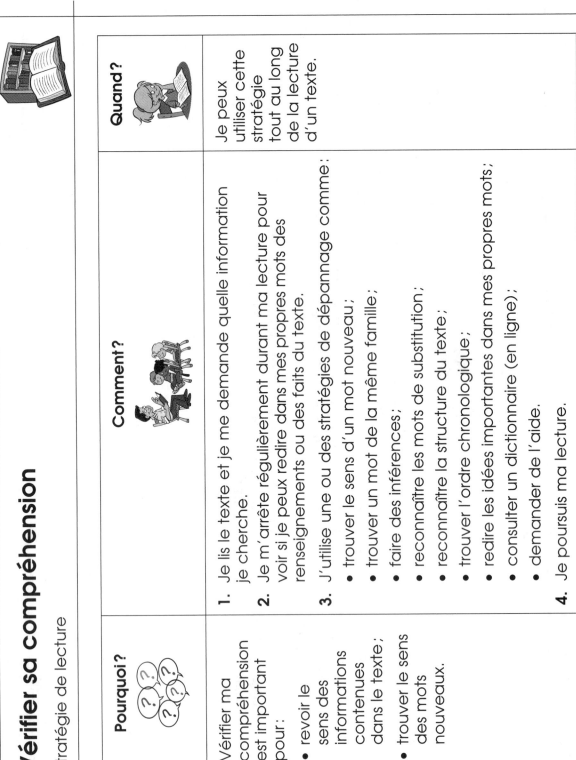

Quoi ?	Pourquoi ?	Comment ?	Quand ?
C'est m'assurer que je comprends bien le texte à lire.	Vérifier ma compréhension est important pour : • revoir le sens des informations contenues dans le texte ; • trouver le sens des mots nouveaux.	1. Je lis le texte et je me demande quelle information je cherche. 2. Je m'arrête régulièrement durant ma lecture pour voir si je peux redire dans mes propres mots des renseignements ou des faits du texte. 3. J'utilise une ou des stratégies de dépannage comme : • trouver le sens d'un mot nouveau ; • trouver un mot de la même famille ; • faire des inférences ; • reconnaître les mots de substitution ; • reconnaître la structure du texte ; • trouver l'ordre chronologique ; • redire les idées importantes dans mes propres mots ; • consulter un dictionnaire (en ligne) ; • demander de l'aide. 4. Je poursuis ma lecture.	Je peux utiliser cette stratégie tout au long de la lecture d'un texte.

Source: adapté du MINISTÈRE DE L'ÉDUCATION DE L'ONTARIO (2007). *Guide d'enseignement efficace en matière de littératie de la 4e à la 6e année*, Fascicule 6, Toronto, Ministère de l'Éducation de l'Ontario.

Fiche 1.19 Résumer un texte

Stratégie de lecture

Quoi ?	Pourquoi ?	Comment ?	Quand ?
C'est raccourcir un texte en gardant le message principal.	Résumer un texte est important pour : • trouver les renseignements importants dans le texte ; • retenir les éléments essentiels du texte.	1. Je m'arrête souvent pendant ma lecture. 2. Je note les idées importantes. 3. Je regroupe les idées semblables. 4. Je redis le tout dans mes propres mots.	Je peux utiliser cette stratégie après la lecture d'un texte lorsque je veux retenir le message principal ou lorsque je dois redire le texte dans mes propres mots.

Source: adapté du MINISTÈRE DE L'ÉDUCATION DE L'ONTARIO (2007). *Guide d'enseignement efficace en matière de littératie de la 4e à la 6e année*, Fascicule 6, Toronto, Ministère de l'Éducation de l'Ontario.

Fiche 1.20 Apprécier un texte

Stratégie de lecture

Quoi ?	Pourquoi ?	Comment ?	Quand ?
C'est réagir à un texte, donner son opinion ou porter un jugement.	Apprécier un texte est important pour : • me permettre d'analyser des éléments d'écriture et le message de l'auteur ; • me donner l'occasion de faire connaître mes impressions au sujet du texte.	1. Je lis pour bien comprendre le texte. 2. Je me pose des questions sur ce que l'auteur veut dire. 3. Je trouve les éléments d'écriture que je trouve intéressants dans le texte (choix de mots, style, fluidité, idées, présentation). 4. Je détermine si je suis d'accord ou pas avec le message de l'auteur.	Je peux utiliser cette stratégie après la lecture d'un texte.

Source : adapté du MINISTÈRE DE L'ÉDUCATION DE L'ONTARIO (2007). *Guide d'enseignement efficace en matière de littératie de la 4ᵉ à la 6ᵉ année*, Fascicule 6, Toronto, Ministère de l'Éducation de l'Ontario.

Fiche 1.21 Faire une synthèse

Stratégie de lecture

Quoi ?	Pourquoi ?	Comment ?	Quand ?
C'est dégager les informations pertinentes et essentielles et les reformuler dans mes propres mots.	Faire une synthèse est important pour : • résumer le message et les idées de l'auteur.	1. Je prends le temps de relire le texte pour bien le comprendre. 2. Je prends des notes pour mettre en mots mes réactions et mes questions. 3. Je résume le texte dans mes propres mots. 4. Je me questionne sur ce que j'ai appris et je décide quel sera mon point de vue.	Je peux utiliser cette stratégie après ma lecture.

Source: adapté du MINISTÈRE DE L'ÉDUCATION DE L'ONTARIO (2007). *Guide d'enseignement efficace en matière de littératie de la 4e à la 6e année*, Fascicule 6, Toronto, Ministère de l'Éducation de l'Ontario.

Annexe C

Les stratégies d'écriture

Les stratégies d'écriture (élèves de 6 à 8 ans)

Les stratégies d'écriture (élèves de 9 à 11 ans)

Fiche 1.22   Je décide pourquoi et pour qui j'écris ce texte

Stratégie d'écriture

Quoi ?	Pourquoi ?	Comment ?	Quand ?
C'est me demander pourquoi et pour qui j'écris ce texte.	Déterminer l'intention du texte et les destinataires est important pour : • me permettre de rassembler mes idées sur l'intention de mon projet d'écriture et sur les destinataires à qui mon texte s'adresse.	1. Je trouve pour qui je vais écrire mon texte. 2. Je choisis le type de texte qui convient le mieux à mon intention et à mes destinataires.	Je peux utiliser cette stratégie avant de rédiger mon texte.

Source : adapté du MINISTÈRE DE L'ÉDUCATION DE L'ONTARIO (2008). *Guide d'enseignement efficace en matière de littératie de la 4e à la 6e année*, Fascicule 7, Toronto, Ministère de l'Éducation de l'Ontario.

Fiche 1.23   Je fais appel à ce que je sais déjà

Stratégie d'écriture

Quoi ?	Pourquoi ?	Comment ?	Quand ?
C'est réfléchir sur ce que je connais déjà au sujet du texte que je veux écrire.	Faire appel à ses connaissances antérieures est important pour : • raconter mes expériences et évoquer mes souvenirs ; • avoir des idées pour écrire mon texte.	1. Je me demande ce que je connais sur le sujet et sur le genre de texte à écrire. 2. Je réfléchis à ce que j'ai déjà vu, lu, écrit, entendu ou vécu. 3. Je note mes idées.	Je peux utiliser cette stratégie quand je veux bien me préparer à écrire.

Source : adapté du MINISTÈRE DE L'ÉDUCATION DE L'ONTARIO (2008). *Guide d'enseignement efficace en matière de littératie de la 4e à la 6e année*, Fascicule 7, Toronto, Ministère de l'Éducation de l'Ontario.

Fiche 1.24 — Je cherche des informations sur le sujet de ma rédaction

Stratégie d'écriture

Quoi ?	Pourquoi ?	Comment ?	Quand ?
 C'est écrire ou dessiner toutes les idées qui me viennent en tête à propos de mon sujet.	Chercher des informations sur le sujet de ma rédaction est important pour: • trouver le plus d'idées possible; • regrouper et organiser les idées que je veux utiliser.	1. Je fais appel à mes connaissances. 2. Je fais une recherche dans des livres ou avec un ordinateur sur Internet. 3. Je discute avec mon enseignant et avec mes camarades.	Je peux utiliser cette stratégie avant de rédiger mon texte.

Source: adapté du MINISTÈRE DE L'ÉDUCATION DE L'ONTARIO (2008). *Guide d'enseignement efficace en matière de littératie de la 4ᵉ à la 6ᵉ année*, Fascicule 7, Toronto, Ministère de l'Éducation de l'Ontario.

Fiche 1.25 Je planifie et j'organise mes idées

Stratégie d'écriture

Quoi ?	Pourquoi ?	Comment ?	Quand ?
C'est faire un plan ou une constellation et organiser mes idées afin de bien rédiger mon texte.	Il est important de planifier et d'organiser mes idées pour : • regrouper toutes les idées que j'ai trouvées ; • établir l'ordre dans lequel je vais présenter mes idées ; • rédiger plus facilement mon ébauche.	1. Je relis mes informations et je pense au texte que je veux rédiger. 2. Je place mes idées en ordre dans ma constellation. 3. Je trouve les idées principales. 4. J'utilise mon plan pour écrire mon texte.	Je peux utiliser cette stratégie quand je planifie la rédaction de mon texte.

Source: adapté du MINISTÈRE DE L'ÉDUCATION DE L'ONTARIO (2008). *Guide d'enseignement efficace en matière de littératie de la 4ᵉ à la 6ᵉ année*, Fascicule 7, Toronto, Ministère de l'Éducation de l'Ontario.

Fiche 1.26 Je rédige une ébauche

Stratégie d'écriture

Quoi ?	Pourquoi ?	Comment ?	Quand ?
C'est choisir les idées de mon plan et faire une première rédaction de mon texte.	Rédiger l'ébauche est important pour : • préciser et exprimer mes idées de façon logique et en ordre ; • choisir un vocabulaire qui convient au sujet de mon texte.	1. Je repense aux questions «Quoi ?», «À qui ?» et «Pourquoi ?». 2. Je choisis ma première idée et je transforme cette idée en phrase. 3. Je fais la même chose pour toutes les autres idées. 4. À la fin, je relis mon ébauche.	Je peux utiliser cette stratégie pour m'aider à rédiger mon ébauche.

Source: adapté du MINISTÈRE DE L'ÉDUCATION DE L'ONTARIO (2008). *Guide d'enseignement efficace en matière de littératie de la 4e à la 6e année*, Fascicule 7, Toronto, Ministère de l'Éducation de l'Ontario.

Fiche 1.27 Je révise la structure de mon texte

Stratégie d'écriture

Quoi?	Pourquoi?	Comment?	Quand?
C'est relire mon ébauche pour vérifier l'organisation de mon texte.	Réviser la structure de mon texte est important pour : • revoir le choix de mes idées ; • peaufiner l'organisation ou la structure de mon texte.	1. Je lis mon ébauche à plusieurs reprises. 2. Je garde des traces des changements que je fais sur ma copie. 3. J'utilise des mots de substitution et différents types de phrases. 4. Je fais relire mon texte par mes camarades et mon enseignant. 5. Je relis mon texte et j'ajuste les idées.	Je peux utiliser cette stratégie à l'étape de la révision de mon texte.

Source : adapté du MINISTÈRE DE L'ÉDUCATION DE L'ONTARIO (2008). *Guide d'enseignement efficace en matière de littératie de la 4ᵉ à la 6ᵉ année*, Fascicule 7, Toronto, Ministère de l'Éducation de l'Ontario.

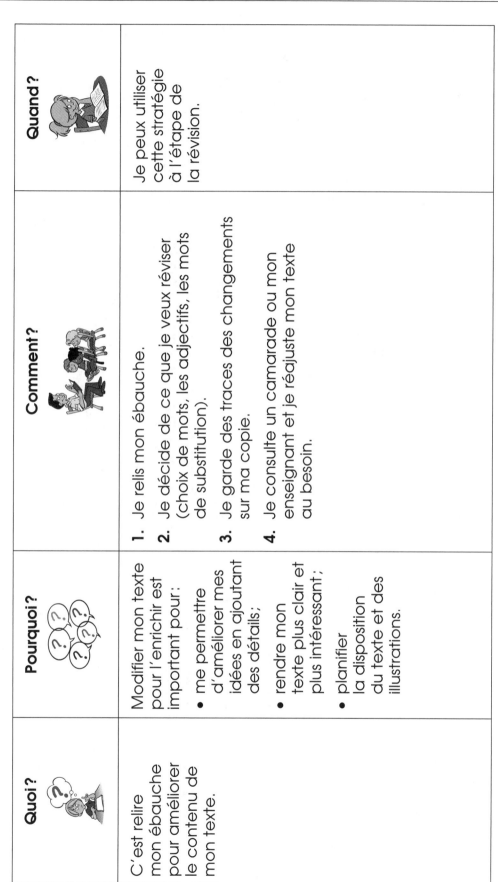

Fiche 1.28 — Je modifie mon texte pour l'améliorer

Stratégie d'écriture

Quoi ?	Pourquoi ?	Comment ?	Quand ?
C'est relire mon ébauche pour améliorer le contenu de mon texte.	Modifier mon texte pour l'enrichir est important pour : • me permettre d'améliorer mes idées en ajoutant des détails ; • rendre mon texte plus clair et plus intéressant ; • planifier la disposition du texte et des illustrations.	1. Je relis mon ébauche. 2. Je décide de ce que je veux réviser (choix de mots, les adjectifs, les mots de substitution). 3. Je garde des traces des changements sur ma copie. 4. Je consulte un camarade ou mon enseignant et je réajuste mon texte au besoin.	Je peux utiliser cette stratégie à l'étape de la révision.

Source : adapté du MINISTÈRE DE L'ÉDUCATION DE L'ONTARIO (2008). *Guide d'enseignement efficace en matière de littératie de la 4e à la 6e année*, Fascicule 7, Toronto, Ministère de l'Éducation de l'Ontario.

Fiche 1.29   Je vérifie l'orthographe lexicale et grammaticale

Stratégie d'écriture

Quoi ?	Pourquoi ?	Comment ?	Quand ?
C'est vérifier l'orthographe lexicale et grammaticale de mon texte.	Corriger le texte est important pour : • livrer un texte clair et lisible ; • me permettre d'appliquer les conventions linguistiques apprises.	1. Je décide de ce que je vais corriger (un type de faute en particulier ou toutes les fautes). 2. Je rassemble le matériel nécessaire (fiches de correction, dictionnaire, tableaux de conjugaison, etc.). 3. Je lis mon texte soigneusement en me concentrant sur les mots et je fais les changements en utilisant le code de correction de la classe. 4. Je fais vérifier mon texte par une autre personne et je mets mon texte au propre.	Je peux utiliser cette stratégie quand je vérifie l'orthographe lexicale et grammaticale d'un texte qui doit être publié.

Source: adapté du MINISTÈRE DE L'ÉDUCATION DE L'ONTARIO (2008). *Guide d'enseignement efficace en matière de littératie de la 4e à la 6e année*, Fascicule 7, Toronto, Ministère de l'Éducation de l'Ontario.

Fiche 1.30   Je prépare la version finale de mon texte

Stratégie d'écriture

Quoi ?	Pourquoi ?	Comment ?	Quand ?
C'est préparer mon texte pour le publier.	Publier le texte est important pour : • présenter mon travail ; • tirer du plaisir de mon projet d'écriture.	1. Je vérifie si j'ai respecté l'intention du texte, les destinataires et les caractéristiques du type de texte que j'ai écrit. 2. Je choisis comment je vais présenter mon texte. 3. Je soigne mon écriture ou je choisis une police de caractère. 4. J'ajoute un dessin ou une image au besoin.	Je peux utiliser cette stratégie quand je dois publier un texte ou le mettre au propre.

Source : adapté du MINISTÈRE DE L'ÉDUCATION DE L'ONTARIO (2008). *Guide d'enseignement efficace en matière de littératie de la 4e à la 6e année*, Fascicule 7, Toronto, Ministère de l'Éducation de l'Ontario.

Fiche 1.31 Cibler l'intention d'écriture, les destinataires et le type de texte

Stratégie d'écriture

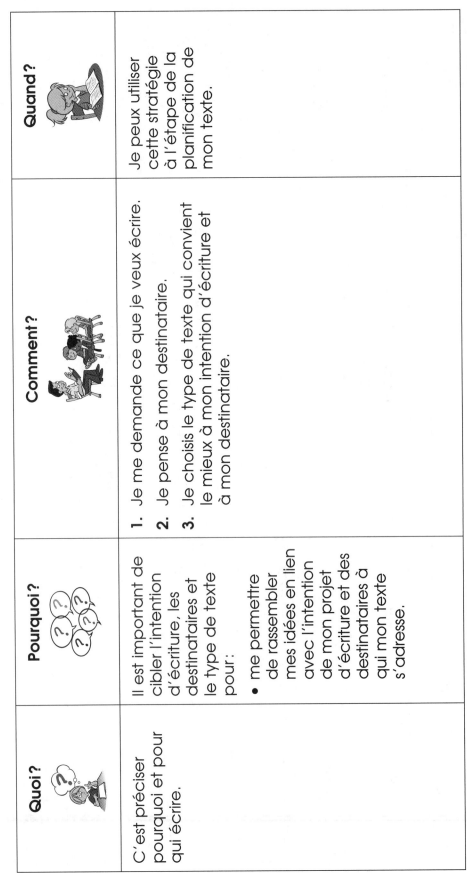

Quoi ?	Pourquoi ?	Comment ?	Quand ?
C'est préciser pourquoi et pour qui écrire.	Il est important de cibler l'intention d'écriture, les destinataires et le type de texte pour : • me permettre de rassembler mes idées en lien avec l'intention de mon projet d'écriture et des destinataires à qui mon texte s'adresse.	1. Je me demande ce que je veux écrire. 2. Je pense à mon destinataire. 3. Je choisis le type de texte qui convient le mieux à mon intention d'écriture et à mon destinataire.	Je peux utiliser cette stratégie à l'étape de la planification de mon texte.

Source: adapté du MINISTÈRE DE L'ÉDUCATION DE L'ONTARIO (2008). *Guide d'enseignement efficace en matière de littératie de la 4e à la 6e année*, Fascicule 7, Toronto, Ministère de l'Éducation de l'Ontario.

Fiche 1.32 Faire appel à ses connaissances antérieures

Stratégie d'écriture

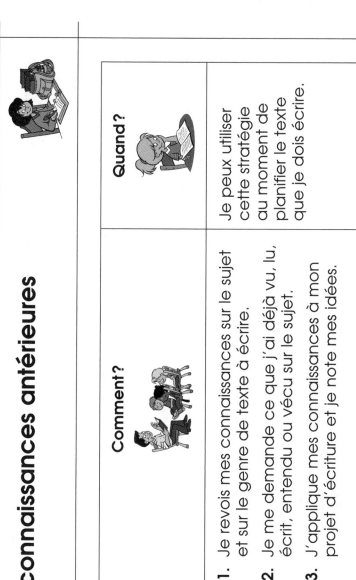

Quoi?	Pourquoi?	Comment?	Quand?
C'est faire des liens entre le sujet, mes expériences personnelles et le genre de texte à rédiger.	Activer ses connaissances antérieures est important pour : • me rappeler mes connaissances sur le sujet; • trouver des idées.	1. Je revois mes connaissances sur le sujet et sur le genre de texte à écrire. 2. Je me demande ce que j'ai déjà vu, lu, écrit, entendu ou vécu sur le sujet. 3. J'applique mes connaissances à mon projet d'écriture et je note mes idées.	Je peux utiliser cette stratégie au moment de planifier le texte que je dois écrire.

Source: adapté du MINISTÈRE DE L'ÉDUCATION DE L'ONTARIO (2008). *Guide d'enseignement efficace en matière de littératie de la 4e à la 6e année*, Fascicule 7, Toronto, Ministère de l'Éducation de l'Ontario.

Fiche 1.33 Chercher des informations sur le sujet

Stratégie d'écriture

Quoi ?	Pourquoi ?	Comment ?	Quand ?
C'est consulter plusieurs sources d'information pour en savoir plus long sur le sujet à écrire.	Chercher des informations sur le sujet est important pour : • comprendre les concepts qui se rattachent à mon sujet ; • trouver le vocabulaire approprié à mon sujet.	1. Je cherche dans mes expériences personnelles. 2. Je me demande si j'ai assez d'idées ou si je peux trouver autre chose. 3. Je consulte des ressources variées (livres, magazines, experts, sites Web) pour trouver des informations. 4. Je prends note des informations trouvées.	Je peux utiliser cette stratégie à l'étape de la planification.

Source : adapté du MINISTÈRE DE L'ÉDUCATION DE L'ONTARIO (2008). *Guide d'enseignement efficace en matière de littératie de la 4e à la 6e année*, Fascicule 7, Toronto, Ministère de l'Éducation de l'Ontario.

Dresser un plan

Stratégie d'écriture

Quoi ?	Pourquoi ?	Comment ?	Quand ?
C'est regrouper les idées que j'ai trouvées sur le sujet à rédiger et choisir celles que je veux garder.	Dresser un plan est important pour : • mieux organiser les idées que je veux développer ; • décider quelles idées je placerai au début, au milieu et à la fin de mon texte ; • faciliter la rédaction de mon ébauche.	1. D'abord, je regroupe mes idées par ordre d'importance. 2. Ensuite, je sélectionne les idées qui feront partie de mon texte : début (introduction) ; milieu (développement) ; fin (conclusion). 3. Puis, je relis les idées que j'ai choisies et je dresse mon plan.	Je peux utiliser cette stratégie quand je dresse un plan à l'étape de la planification.

Source : adapté du MINISTÈRE DE L'ÉDUCATION DE L'ONTARIO (2008). *Guide d'enseignement efficace en matière de littératie de la 4e à la 6e année*, Fascicule 7, Toronto, Ministère de l'Éducation de l'Ontario.

Fiche 1.35 Rédiger une ébauche

Stratégie d'écriture

Quoi ?	Pourquoi ?	Comment ?	Quand ?
C'est développer mes idées pour écrire un texte.	Rédiger une ébauche est important pour : • structurer et exprimer ma pensée ; • rendre mon texte intéressant pour mes lecteurs ; • regrouper les idées selon mon plan ; • respecter la structure générale de mon texte et les caractéristiques qui lui appartiennent.	1. Je me concentre pour transformer mes idées en phrases complètes. 2. Je choisis des marqueurs de relation pour enchaîner mes idées. 3. Je vérifie pour mettre toutes les idées du plan dans mon brouillon.	Je peux utiliser cette stratégie à l'étape de la rédaction de l'ébauche.

Source: adapté du MINISTÈRE DE L'ÉDUCATION DE L'ONTARIO (2008). *Guide d'enseignement efficace en matière de littératie de la 4ᵉ à la 6ᵉ année*, Fascicule 7, Toronto, Ministère de l'Éducation de l'Ontario.

Réviser la structure de son texte

Stratégie d'écriture

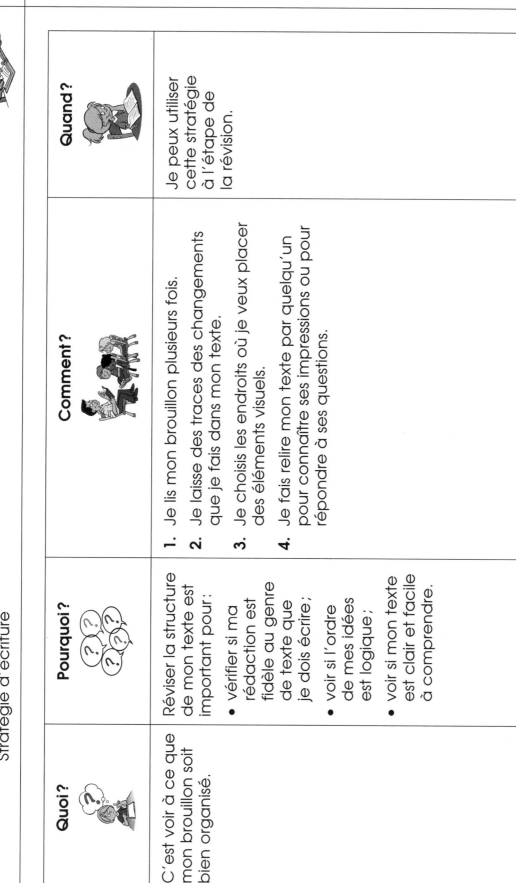

Quoi ?	Pourquoi ?	Comment ?	Quand ?
C'est voir à ce que mon brouillon soit bien organisé.	Réviser la structure de mon texte est important pour : • vérifier si ma rédaction est fidèle au genre de texte que je dois écrire ; • voir si l'ordre de mes idées est logique ; • voir si mon texte est clair et facile à comprendre.	1. Je lis mon brouillon plusieurs fois. 2. Je laisse des traces des changements que je fais dans mon texte. 3. Je choisis les endroits où je veux placer des éléments visuels. 4. Je fais relire mon texte par quelqu'un pour connaître ses impressions ou pour répondre à ses questions.	Je peux utiliser cette stratégie à l'étape de la révision.

Source: adapté du MINISTÈRE DE L'ÉDUCATION DE L'ONTARIO (2008). *Guide d'enseignement efficace en matière de littératie de la 4e à la 6e année, Fascicule 7*, Toronto, Ministère de l'Éducation de l'Ontario.

Fiche 1.37 Réviser pour améliorer son texte

Stratégie d'écriture

Quoi ?	Pourquoi ?	Comment ?	Quand ?
C'est modifier mon brouillon pour améliorer mon texte.	Réviser pour améliorer mon texte est important pour : • le rendre plus intéressant ; • le rendre plus facile à comprendre.	1. Je lis mon brouillon. 2. Je décide de ce que je veux améliorer (le choix de mots, les phrases, les idées, etc.). 3. Je laisse des traces des changements sur ma copie. 4. Je consulte un camarade ou mon enseignant et je réajuste mon texte au besoin.	Je peux utiliser cette stratégie à l'étape de la révision.

Source : adapté du MINISTÈRE DE L'ÉDUCATION DE L'ONTARIO (2008). *Guide d'enseignement efficace en matière de littératie de la 4ᵉ à la 6ᵉ année*, Fascicule 7, Toronto, Ministère de l'Éducation de l'Ontario.

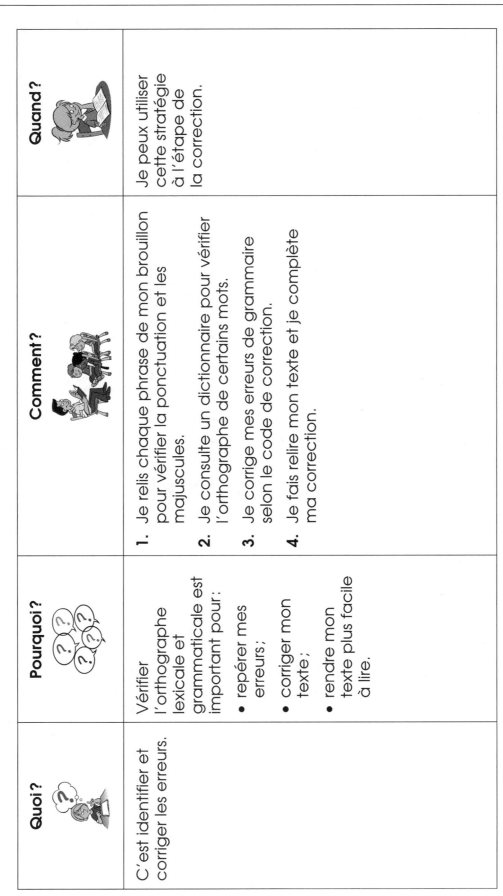

Fiche 1.38 Vérifier l'orthographe lexicale et grammaticale

Stratégie d'écriture

Quoi ?	Pourquoi ?	Comment ?	Quand ?
C'est identifier et corriger les erreurs.	Vérifier l'orthographe lexicale et grammaticale est important pour : • repérer mes erreurs ; • corriger mon texte ; • rendre mon texte plus facile à lire.	1. Je relis chaque phrase de mon brouillon pour vérifier la ponctuation et les majuscules. 2. Je consulte un dictionnaire pour vérifier l'orthographe de certains mots. 3. Je corrige mes erreurs de grammaire selon le code de correction. 4. Je fais relire mon texte et je complète ma correction.	Je peux utiliser cette stratégie à l'étape de la correction.

Source: adapté du MINISTÈRE DE L'ÉDUCATION DE L'ONTARIO (2008). *Guide d'enseignement efficace en matière de littératie de la 4e à la 6e année*, Fascicule 7, Toronto, Ministère de l'Éducation de l'Ontario.

Fiche 1.39 Préparer son texte pour la publication

Stratégie d'écriture

Quoi ?	Pourquoi ?	Comment ?	Quand ?
C'est faire la mise en page de mon texte pour qu'il soit publié.	Préparer mon texte pour la publication est important pour : • rendre mon texte plus attrayant ; • retenir l'attention de mon destinataire ; • être satisfait(e) de mon travail.	1. Je choisis une manière de présenter mon travail (affiche, présentoir, site Web, manuscrit). 2. Je trouve ou je crée des éléments visuels. 3. Je soigne ma calligraphie ou je choisis une police de caractère appropriée. 4. Je vérifie mon travail une dernière fois avant de le remettre.	Je peux utiliser cette stratégie au moment de la publication.

Source: adapté du MINISTÈRE DE L'ÉDUCATION DE L'ONTARIO (2008). *Guide d'enseignement efficace en matière de littératie de la 4ᵉ à la 6ᵉ année*, Fascicule 7, Toronto, Ministère de l'Éducation de l'Ontario.

Annexe D

Les stratégies de prise de parole

Les stratégies de prise de parole
(élèves de 6 à 8 ans)

Les stratégies de prise de parole
(élèves de 9 à 11 ans)

Je sais pourquoi je livre ce message

Stratégie de prise de parole

Quoi ?	Pourquoi ?	Comment ?	Quand ?
C'est connaître le sujet de ma présentation.	Savoir pourquoi je livre un message est important pour : • décider de ce que je vais dire.	1. Je trouve l'intention de mon message (informer, expliquer, divertir, raconter). 2. Je cherche des idées pour m'exprimer.	Je peux utiliser cette stratégie avant de faire une présentation orale.

Source : adapté du MINISTÈRE DE L'ÉDUCATION DE L'ONTARIO (2007). *Guide d'enseignement efficace en matière de littératie de la 4e à la 6e année*, Fascicule 5, Toronto, Ministère de l'Éducation de l'Ontario.

Fiche 1.41 J'établis un contact avec mon auditoire

Stratégie de prise de parole

Quoi ?	Pourquoi ?	Comment ?	Quand ?
C'est s'assurer que les personnes à qui je m'adresse écoutent ma présentation.	Établir un contact avec l'auditoire est important pour : • attirer l'attention d'une personne ou d'un groupe ; • que l'auditoire comprenne bien le message.	1. Je regarde la ou les personnes à qui je veux parler. 2. Je me présente pour attirer l'attention des auditeurs. 3. Je continue de m'adresser à mon auditoire tout au long de ma présentation.	Je peux utiliser cette stratégie avant et pendant une communication orale.

Source : adapté du MINISTÈRE DE L'ÉDUCATION DE L'ONTARIO (2007). *Guide d'enseignement efficace en matière de littératie de la 4e à la 6e année*, Fascicule 5, Toronto, Ministère de l'Éducation de l'Ontario.

Fiche 1.42 Je livre mon message selon les règles de la politesse

Stratégie de prise de parole

Quoi ?	Pourquoi ?	Comment ?	Quand ?
C'est dire mon message avec politesse.	Livrer mon message selon les règles de la politesse est important : • afin de transmettre mes idées avec confiance et respect.	1. J'établis le contact. 2. Je suis poli. J'utilise le « tu » avec mes amis et le « vous » avec les adultes. 3. À la fin, je remercie le groupe de m'avoir écouté.	Je peux utiliser cette stratégie au moment d'une communication orale.

Source : adapté du MINISTÈRE DE L'ÉDUCATION DE L'ONTARIO (2007). *Guide d'enseignement efficace en matière de littératie de la 4e à la 6e année*, Fascicule 5, Toronto, Ministère de l'Éducation de l'Ontario.

Fiche 1.43 Je choisis une posture et des gestes appropriés

Stratégie de prise de parole

Quoi?	Pourquoi?	Comment?	Quand?
C'est choisir des gestes et un maintien qui s'harmonisent bien avec mon message.	Choisir une posture et des gestes appropriés est important pour : • exprimer clairement ce que je pense ; • garder l'attention des gens.	1. J'établis le contact. 2. Je prends une bonne posture. Je me place debout ou assis bien droit. 3. Je fais des gestes appropriés.	Je peux utiliser cette stratégie quand je m'exprime oralement.

Source: adapté du MINISTÈRE DE L'ÉDUCATION DE L'ONTARIO (2007). *Guide d'enseignement efficace en matière de littératie de la 4e à la 6e année*, Fascicule 5, Toronto, Ministère de l'Éducation de l'Ontario.

Fiche 1.44 J'emploie les mots justes

Stratégie de prise de parole

Quoi ?	Pourquoi ?	Comment ?	Quand ?
C'est parler clairement et s'exprimer correctement.	Employer les mots justes est important pour : • nommer et décrire correctement les objets qui m'entourent ; • exprimer clairement ce que je pense et ce dont j'ai besoin.	1. J'utilise des mots justes lorsque : • je parle à quelqu'un ; • je veux décrire un objet ; • j'exprime mes sentiments.	Je peux utiliser cette stratégie quand je m'exprime oralement.

Source : adapté du MINISTÈRE DE L'ÉDUCATION DE L'ONTARIO (2007). *Guide d'enseignement efficace en matière de littératie de la 4e à la 6e année*, Fascicule 5, Toronto, Ministère de l'Éducation de l'Ontario.

Fiche 1.45 **Je prépare et je répète ma présentation**

Stratégie de prise de parole

Quoi ?	Pourquoi ?	Comment ?	Quand ?
C'est m'exercer à présenter mon message avec soin.	Il est important de préparer et de répéter ma présentation pour : • pouvoir parler avec confiance à mes auditeurs.	1. Je m'exerce à l'avance en choisissant ma posture, mes gestes, mes expressions et mes accessoires. 2. Je choisis des éléments visuels au besoin.	Je peux utiliser cette stratégie en tout temps avant de faire une présentation orale.

Source: adapté du MINISTÈRE DE L'ÉDUCATION DE L'ONTARIO (2007). *Guide d'enseignement efficace en matière de littératie de la 4e à la 6e année*, Fascicule 5, Toronto, Ministère de l'Éducation de l'Ontario.

Fiche 1.46 J'ajoute des expressions faciales à mon message

Stratégie de prise de parole

Quoi ?	Pourquoi ?	Comment ?	Quand ?
C'est ajouter des expressions faciales pour animer le message que je présente.	Ajouter des gestes et une expression faciale est important pour : • exprimer clairement ce que je pense ; • garder l'attention des gens.	1. J'établis le contact. 2. Je fais des gestes appropriés. 3. Je choisis des expressions faciales qui évoquent des émotions comme la surprise, la peur ou la joie.	Je peux utiliser cette stratégie en tout temps durant une communication orale.

Source : adapté du MINISTÈRE DE L'ÉDUCATION DE L'ONTARIO (2007). *Guide d'enseignement efficace en matière de littératie de la 4e à la 6e année*, Fascicule 5, Toronto, Ministère de l'Éducation de l'Ontario.

Fiche 1.47 Je contrôle ma voix

Stratégie de prise de parole

Quoi?	Pourquoi?	Comment?	Quand?
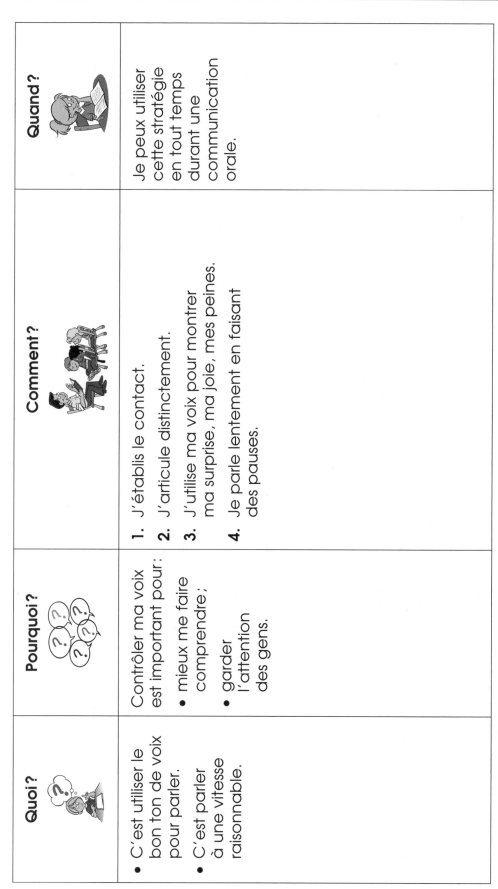			
• C'est utiliser le bon ton de voix pour parler. • C'est parler à une vitesse raisonnable.	Contrôler ma voix est important pour : • mieux me faire comprendre ; • garder l'attention des gens.	1. J'établis le contact. 2. J'articule distinctement. 3. J'utilise ma voix pour montrer ma surprise, ma joie, mes peines. 4. Je parle lentement en faisant des pauses.	Je peux utiliser cette stratégie en tout temps durant une communication orale.

Source: adapté du MINISTÈRE DE L'ÉDUCATION DE L'ONTARIO (2007). *Guide d'enseignement efficace en matière de littératie de la 4e à la 6e année*, Fascicule 5, Toronto, Ministère de l'Éducation de l'Ontario.

Fiche 1.48 Connaître l'intention de son message

Stratégie de prise de parole

Quoi ?	Pourquoi ?	Comment ?	Quand ?
C'est choisir le sujet de la présentation orale et déterminer à qui ce message s'adressera.	Connaître l'intention du message est important pour : • me permettre de faire les ajustements nécessaires afin de me faire comprendre.	1. Je choisis à qui s'adresse le message. 2. Je choisis quelle sorte de message je veux livrer (une anecdote, un conte, une information). 3. Je choisis le vocabulaire et les types de phrases que je veux utiliser.	Je peux utiliser cette stratégie au moment de préparer ma présentation orale.

Source : adapté du MINISTÈRE DE L'ÉDUCATION DE L'ONTARIO (2007). *Guide d'enseignement efficace en matière de littératie de la 4ᵉ à la 6ᵉ année*, Fascicule 5, Toronto, Ministère de l'Éducation de l'Ontario.

Fiche 1.49 | Établir un contact avec son auditoire

Stratégie de prise de parole

Quoi?	Pourquoi?	Comment?	Quand?
C'est attirer l'attention des gens lors de ma présentation orale.	Établir le contact avec l'auditoire au début d'une présentation orale est important pour: • avoir l'intérêt et l'attention des gens; • faire en sorte que le message soit bien compris.	1. J'établis un contact visuel avec les personnes. 2. Je capte l'intérêt de l'auditoire en posant une question ou en racontant une blague. 3. Je garde le contact avec l'auditoire en utilisant des gestes ou en changeant ma voix.	Je peux utiliser cette stratégie pendant ma présentation orale.

Source: adapté du MINISTÈRE DE L'ÉDUCATION DE L'ONTARIO (2007). *Guide d'enseignement efficace en matière de littératie de la 4ᵉ à la 6ᵉ année*, Fascicule 5, Toronto, Ministère de l'Éducation de l'Ontario.

Fiche 1.50 **Utiliser divers moyens techniques pour livrer son message**

Stratégie de prise de parole

Quoi?	Pourquoi?	Comment?	Quand?
C'est utiliser des supports visuels ou sonores, des moyens technologiques ou médiatiques pour présenter son message.	Utiliser des moyens techniques pour livrer son message est important pour: • clarifier le message; • capter et garder l'intérêt de l'auditoire.	1. Je choisis les parties de mon message que je veux appuyer par des éléments visuels ou sonores. 2. Je décide si un élément technologique ou médiatique peut enrichir ma présentation. 3. Je me questionne afin de déterminer si mon message est intéressant et clair pour l'auditoire.	Je peux utiliser cette stratégie lorsque je prépare ma présentation orale.

Source: adapté du MINISTÈRE DE L'ÉDUCATION DE L'ONTARIO (2007). *Guide d'enseignement efficace en matière de littératie de la 4e à la 6e année*, Fascicule 5, Toronto, Ministère de l'Éducation de l'Ontario.

Fiche 1.51 — Rendre son message plus clair

Stratégie de prise de parole

Quoi ?	Pourquoi ?	Comment ?	Quand ?
C'est trouver des moyens pour rendre ma présentation plus claire.	Rendre son message plus clair est important pour : • être compris par l'auditoire.	1. Je commence ma présentation orale et si les gens ne semblent pas comprendre je peux : • répéter ma présentation ; • expliquer une partie de mon message ; • donner d'autres exemples ; • reprendre les éléments visuels ou sonores de ma présentation.	Je peux utiliser cette stratégie si je me rends compte que mon auditoire ne semble pas comprendre ma présentation.

Source : adapté du MINISTÈRE DE L'ÉDUCATION DE L'ONTARIO (2007). *Guide d'enseignement efficace en matière de littératie de la 4e à la 6e année*, Fascicule 5, Toronto, Ministère de l'Éducation de l'Ontario.

Préparer et répéter sa présentation

Stratégie de prise de parole

Quoi ?	Pourquoi ?	Comment ?	Quand ?
C'est s'exercer à présenter son message.	Préparer et répéter ma présentation est important pour : • être à l'aise devant mon auditoire ; • communiquer clairement ; • savoir comment utiliser les éléments visuels ou sonores faisant partie de ma présentation.	1. Je relis ma présentation. 2. Je récite ma présentation à voix haute : • en articulant clairement ; • en faisant les liaisons ; • en ajustant ma voix ; • en utilisant des gestes et des expressions faciales.	Je peux utiliser cette stratégie avant chacune de mes présentations orales.

Source : adapté du MINISTÈRE DE L'ÉDUCATION DE L'ONTARIO (2007). *Guide d'enseignement efficace en matière de littératie de la 4ᵉ à la 6ᵉ année,* Fascicule 5, Toronto, Ministère de l'Éducation de l'Ontario.

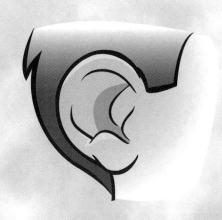

Annexe E

Les stratégies d'écoute

Fiche 1.53 Je prends une position d'écoute et je fais preuve de politesse durant le message

Stratégie d'écoute

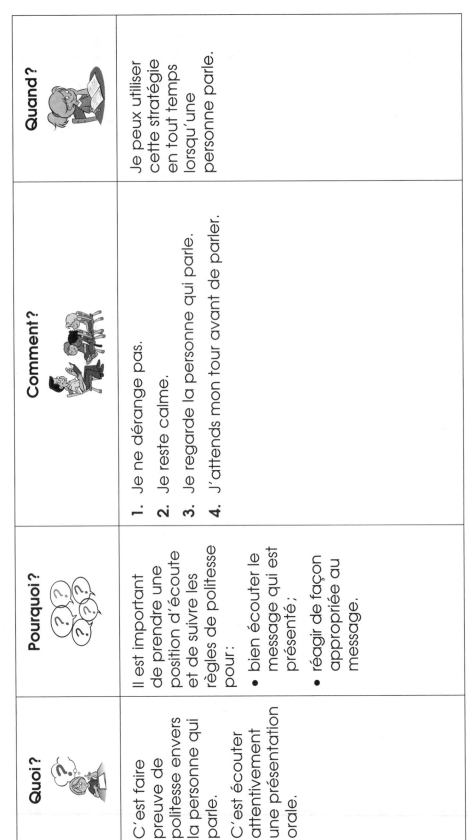

Quoi ?	Pourquoi ?	Comment ?	Quand ?
• C'est faire preuve de politesse envers la personne qui parle. • C'est écouter attentivement une présentation orale.	Il est important de prendre une position d'écoute et de suivre les règles de politesse pour : • bien écouter le message qui est présenté ; • réagir de façon appropriée au message.	1. Je ne dérange pas. 2. Je reste calme. 3. Je regarde la personne qui parle. 4. J'attends mon tour avant de parler.	Je peux utiliser cette stratégie en tout temps lorsqu'une personne parle.

Source : adapté du MINISTÈRE DE L'ÉDUCATION DE L'ONTARIO (2007). *Guide d'enseignement efficace en matière de littératie de la 4e à la 6e année*, Fascicule 5, Toronto, Ministère de l'Éducation de l'Ontario.

Fiche 1.54 J'utilise mes connaissances personnelles pour comprendre le message

Stratégie d'écoute

Quoi ?	Pourquoi ?	Comment ?	Quand ?
C'est faire des liens avec ce que je connais déjà sur ce sujet.	Activer mes connaissances antérieures est important pour : • comprendre le message ; • demeurer attentif pendant qu'une personne parle.	1. Je prends une position d'écoute. 2. Je pense à ce que je connais déjà sur ce sujet. 3. Je me rappelle ce que j'ai vu ou lu sur ce sujet.	Je peux utiliser cette stratégie en tout temps lors d'une présentation orale.

Source: adapté du MINISTÈRE DE L'ÉDUCATION DE L'ONTARIO (2007). *Guide d'enseignement efficace en matière de littératie de la 4e à la 6e année*, Fascicule 5, Toronto, Ministère de l'Éducation de l'Ontario.

Fiche 1.55 Je trouve le sens du message

Stratégie d'écoute

Quoi ?	Pourquoi ?	Comment ?	Quand ?
C'est trouver les idées importantes d'un message.	Trouver le sens du message est important pour : • savoir pourquoi on me parle ; • comprendre le message.	1. J'écoute les mots importants du message. 2. Je pense à ce que je connais déjà sur le sujet. 3. Je me fais des images dans la tête.	Je peux utiliser cette stratégie en tout temps lorsqu'une personne livre un message.

Source: adapté du MINISTÈRE DE L'ÉDUCATION DE L'ONTARIO (2007). *Guide d'enseignement efficace en matière de littératie de la 4e à la 6e année*, Fascicule 5, Toronto, Ministère de l'Éducation de l'Ontario.

Fiche 1.56   Je comprends les gestes et les expressions faciales du locuteur

Stratégie d'écoute

Quoi ?	Pourquoi ?	Comment ?	Quand ?
C'est comprendre un message à l'aide des gestes et des expressions du visage d'une personne.	Associer les gestes et les expressions faciales aux paroles est important pour : • mieux comprendre ce qu'une personne veut dire.	1. Je prends une position d'écoute. 2. Je regarde les gestes et les expressions faciales de la personne qui parle. 3. Je fais des liens entre ce qu'elle dit et ce que je sais du sujet.	Je peux utiliser cette stratégie lors d'une situation de communication orale.

Source : adapté du MINISTÈRE DE L'ÉDUCATION DE L'ONTARIO (2007). *Guide d'enseignement efficace en matière de littératie de la 4e à la 6e année*, Fascicule 5, Toronto, Ministère de l'Éducation de l'Ontario.

Fiche 1.57 Je redis le message dans mes propres mots

Stratégie d'écoute

Quoi ?	Pourquoi ?	Comment ?	Quand ?
C'est répéter le message dans mes propres mots.	Redire un message dans mes mots est important pour : • m'assurer d'avoir bien compris ; • me rappeler le message.	1. Je trouve de quoi on parle. 2. Je redis le message dans mes propres mots.	Je peux utiliser cette stratégie lors d'une communication orale.

Source: adapté du MINISTÈRE DE L'ÉDUCATION DE L'ONTARIO (2007). *Guide d'enseignement efficace en matière de littératie de la 4e à la 6e année*, Fascicule 5, Toronto, Ministère de l'Éducation de l'Ontario.

Fiche 1.58 J'exprime mon opinion au sujet du message

Stratégie d'écoute

Quoi?	Pourquoi?	Comment?	Quand?
C'est donner son opinion à la suite d'un message.	Exprimer mon opinion est important pour : • dire ce que je pense au sujet du message présenté.	1. Je trouve le sens du message. 2. Je partage mes idées, mes sentiments et mon opinion sur le sujet.	Je peux utiliser cette stratégie après une communication orale.

Source: adapté du MINISTÈRE DE L'ÉDUCATION DE L'ONTARIO (2007). *Guide d'enseignement efficace en matière de littératie de la 4ᵉ à la 6ᵉ année*, Fascicule 5, Toronto, Ministère de l'Éducation de l'Ontario.

Fiche 1.59 Faire preuve de politesse durant la présentation d'un message

Stratégie d'écoute

Quoi ?	Pourquoi ?	Comment ?	Quand ?
C'est écouter attentivement la présentation d'un message en suivant les règles de politesse.	Faire preuve de politesse est important pour : • comprendre le message présenté ; • apprendre à discuter et à échanger avec les autres ; • réagir à la présentation de façon appropriée.	1. Je prends une position d'écoute. 2. Je regarde la personne qui parle. 3. Je garde une attention soutenue durant toute la présentation. 4. Je suis les règles de politesse, même si je ne suis pas d'accord avec ce qui est présenté.	Je peux utiliser cette stratégie en tout temps, lorsque quelqu'un fait une présentation orale.

Source : adapté du MINISTÈRE DE L'ÉDUCATION DE L'ONTARIO (2007). *Guide d'enseignement efficace en matière de littératie de la 4e à la 6e année*, Fascicule 5, Toronto, Ministère de l'Éducation de l'Ontario.

Fiche 1.60 **Faire appel à ses connaissances personnelles pour comprendre un message**

Stratégie d'écoute

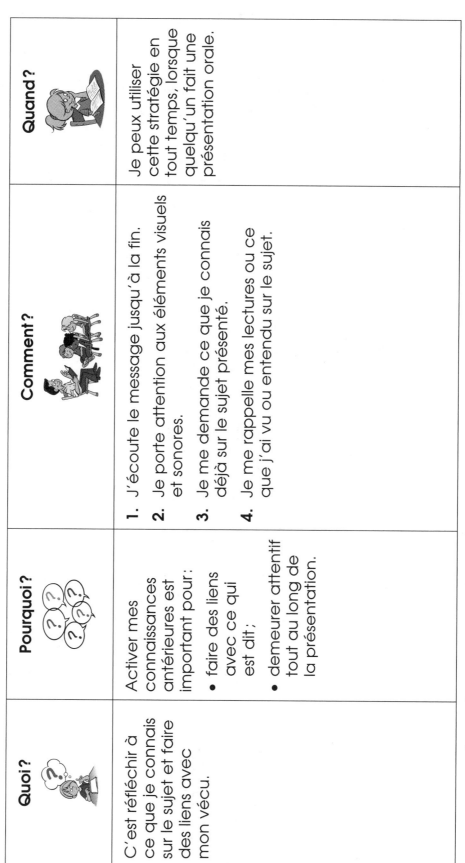

Quoi ?	Pourquoi ?	Comment ?	Quand ?
C'est réfléchir à ce que je connais sur le sujet et faire des liens avec mon vécu.	Activer mes connaissances antérieures est important pour : • faire des liens avec ce qui est dit ; • demeurer attentif tout au long de la présentation.	1. J'écoute le message jusqu'à la fin. 2. Je porte attention aux éléments visuels et sonores. 3. Je me demande ce que je connais déjà sur le sujet présenté. 4. Je me rappelle mes lectures ou ce que j'ai vu ou entendu sur le sujet.	Je peux utiliser cette stratégie en tout temps, lorsque quelqu'un fait une présentation orale.

Source : adapté du MINISTÈRE DE L'ÉDUCATION DE L'ONTARIO (2007). *Guide d'enseignement efficace en matière de littératie de la 4ᵉ à la 6ᵉ année*, Fascicule 5, Toronto, Ministère de l'Éducation de l'Ontario.

Fiche 1.61 Comprendre le sens des gestes et du langage non verbal

Stratégie d'écoute

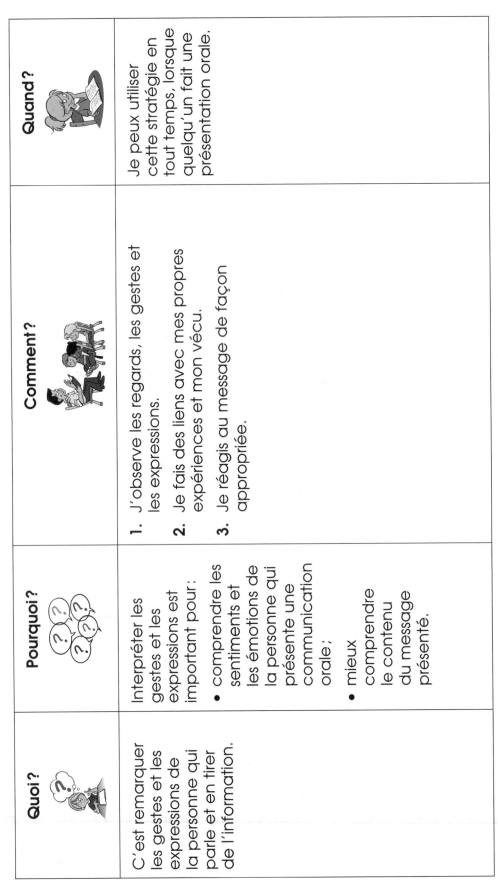

Quoi ?	Pourquoi ?	Comment ?	Quand ?
C'est remarquer les gestes et les expressions de la personne qui parle et en tirer de l'information.	Interpréter les gestes et les expressions est important pour : • comprendre les sentiments et les émotions de la personne qui présente une communication orale ; • mieux comprendre le contenu du message présenté.	1. J'observe les regards, les gestes et les expressions. 2. Je fais des liens avec mes propres expériences et mon vécu. 3. Je réagis au message de façon appropriée.	Je peux utiliser cette stratégie en tout temps, lorsque quelqu'un fait une présentation orale.

Source: adapté du MINISTÈRE DE L'ÉDUCATION DE L'ONTARIO (2007). *Guide d'enseignement efficace en matière de littératie de la 4e à la 6e année*, Fascicule 5, Toronto, Ministère de l'Éducation de l'Ontario.

Fiche 1.62 Trouver le sens d'un message

Stratégie d'écoute

Quoi?

- C'est trouver les idées importantes du message.
- C'est trouver des moyens pour comprendre le message.

Pourquoi?

Trouver le sens d'un message est important pour :

- mieux comprendre et apprécier le message livré.

Comment?

1. J'écoute la présentation orale du début à la fin.

2. Je réfléchis et je me questionne sur le message présenté.

3. Si j'ai besoin d'explications, je questionne le locuteur en suivant les règles de politesse.

4. J'écoute attentivement la réponse et je remercie le locuteur.

5. Je redis le message dans ma tête.

Quand?

Je peux utiliser cette stratégie en tout temps, lorsque quelqu'un fait une présentation orale.

Source: adapté du MINISTÈRE DE L'ÉDUCATION DE L'ONTARIO (2007). *Guide d'enseignement efficace en matière de littératie de la 4e à la 6e année*, Fascicule 5, Toronto, Ministère de l'Éducation de l'Ontario.

Fiche 1.63 — Prendre des notes durant un message

Stratégie d'écoute

Quoi ?	Pourquoi ?	Comment ?	Quand ?
C'est écrire les idées que je trouve importantes.	Prendre des notes est important pour : • retenir l'information essentielle ; • noter mes réactions ou mes questions au sujet du message.	1. Je prends des notes en style télégraphique. 2. Je note le sujet du message et les idées principales. 3. J'écris mes réactions ou mes questions.	Je peux utiliser cette stratégie lorsque je veux retenir de l'information lors d'une présentation orale.

Source : adapté du MINISTÈRE DE L'ÉDUCATION DE L'ONTARIO (2007). *Guide d'enseignement efficace en matière de littératie de la 4ᵉ à la 6ᵉ année*, Fascicule 5, Toronto, Ministère de l'Éducation de l'Ontario.

Fiche 1.64 Réagir à un message

Stratégie d'écoute

Quoi ?	Pourquoi ?	Comment ?	Quand ?
C'est exprimer clairement et poliment mes réactions au sujet du message entendu.	Réagir à un message est important pour : • exercer ma pensée critique ; • échanger avec mes camarades de classe de façon appropriée.	1. J'écoute le message et je réagis positivement ou négativement. 2. J'apporte des arguments pour exprimer mon point de vue. 3. Je suis respectueux dans ma façon de parler.	Je peux utiliser cette stratégie après une présentation orale.

Source : adapté du MINISTÈRE DE L'ÉDUCATION DE L'ONTARIO (2007). *Guide d'enseignement efficace en matière de littératie de la 4e à la 6e année*, Fascicule 5, Toronto, Ministère de l'Éducation de l'Ontario.

Des activités pour les centres de littératie

Des activités de lecture pour les centres de littératie

1. Activité de lecture (fiche de l'élève)

Replace l'histoire en ordre chronologique

1. Choisis un livre et lis l'histoire.

2. Prends les phrases de l'histoire et replace-les en ordre chronologique.

3. Demande à un camarade dans le centre de littératie de vérifier ton travail. Il doit prendre la fiche de correction.

2. Activité de lecture (fiche de l'élève)

Le cube de mon histoire

1. Choisis un livre et lis l'histoire.

2. Prends le dessin du cube et écris : le titre de ton livre, qui, où, quand, le problème, la solution.

3. Découpe ton cube et assemblele.

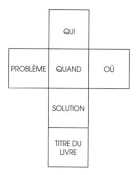

1. Activité de lecture (fiche de l'enseignant)

Replace l'histoire en ordre chronologique

1. Choisir des livres correspondant au niveau de lecture des élèves.

2. Écrire les phrases de l'histoire sur des cartons, les découper et les placer dans un sac refermable. On peut aussi écrire les phrases sur une feuille de papier et les élèves numéroteront ces phrases pour les replacer en ordre chronologique.

3. Faire une fiche de correction pour chaque livre.

2. Activité de lecture (fiche de l'enseignant)

Le cube de mon histoire

1. Choisir des livres correspondant au niveau de lecture des élèves.

2. Reproduire le dessin du cube afin que les élèves puissent trouver le schéma du récit dans l'histoire et écrire les éléments trouvés sur le cube.

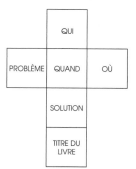

3. Activité de lecture
(fiche de l'élève)

Trouve mes mots

1. Lis le texte que t'a remis ton enseignant.

2. Après ta lecture, prends la feuille avec le texte à trous et replace les mots dans l'histoire.

3. Relis ton histoire au besoin.

4. Activité de lecture
(fiche de l'élève)

Dessine ton histoire

1. Choisis un livre dans le centre et lis-le.

2. Après ta lecture, dessine une des scènes du livre en déformant les personnages ou le décor selon ce que tu imagines.

3. Sous ton dessin, décris ton travail en quelques phrases.

3. Activité de lecture
(fiche de l'enseignant)

Trouve mes mots

1. Choisir un texte que les élèves doivent lire.

2. Préparer le texte à trous en utilisant des phrases de l'histoire.

3. Reproduire les feuilles et les placer dans le centre de littératie.

4. Faire une fiche de correction.

4. Activité de lecture
(fiche de l'enseignant)

Dessine ton histoire

1. Choisir des livres correspondant au niveau de lecture des élèves.

2. Placer du papier à dessin, des crayons à colorier, des crayons pour écrire dans le centre de littératie.

5. Activité de lecture
(fiche de l'élève)

Je lis avec mon ami(e)

1. Avec un ou deux élèves maximum dans ton centre, choisissez un livre.

2. À tour de rôle, lisez en chuchotant une page chacun.

3. Quand ce n'est pas mon tour, je m'assure que mon camarade ne se trompe pas en lisant.

6. Activité de lecture
(fiche de l'élève)

Je vais à la pêche

1. Lis l'histoire que t'a remise ton enseignant.

2. Après ta lecture, prends la feuille présentant des images de l'histoire.

3. Chacun son tour, on pige une phrase dans le bac. On la place à côté de la bonne image et on lit la phrase à ses camarades.

4. Lorsque toutes les phrases sont placées, on lit l'histoire pour voir si on a bien réussi.

5. Activité de lecture
(fiche de l'enseignant)

Je lis avec mon ami(e)

1. Choisir des livres correspondant au niveau de lecture des élèves.

2. On peut mettre des signets pour mieux suivre lors de la lecture.

6. Activité de lecture
(fiche de l'enseignant)

Je vais à la pêche

1. Se procurer une canne à pêche aimantée et un bac en plastique.

2. Choisir une histoire à faire lire aux élèves.

3. Séparer l'histoire en phrases que l'on écrira sur des cartons. Placer un aimant ou un trombone à l'arrière. Les mettre dans le bac.

4. Trouver des images qui illustrent chaque phrase et les coller sur une feuille ou un carton.

5. L'élève doit lire l'histoire, piger une phrase puis la placer vis-à-vis de la bonne image. On peut plastifier le tout afin de le réutiliser.

7. Activité de lecture
(fiche de l'élève)

Je remets en ordre

1. Choisis un des sacs contenant une comptine ou une chanson.

2. Lis les phrases, puis replace-les en ordre.

3. Vérifie si tu as bien réussi avec la fiche de correction.

4. S'il te reste du temps, récite ta comptine ou ta chanson à un élève. Tu peux aussi faire un dessin de ta comptine ou ta chanson.

8. Activité de lecture
(fiche de l'élève)

Mon personnage préféré

1. Choisis un des livres et lis-le.

2. Choisis le personnage de l'histoire que tu as aimé le plus.

3. Dresse une liste des caractéristiques que tu as découvertes sur cette personne. Écris-les sur une feuille.

7. Activité de lecture
(fiche de l'enseignant)

Je remets en ordre

1. Choisir des comptines et des chansons connues des élèves.

2. Découper les vers et les placer dans des sacs refermables.

3. Les élèves doivent prendre un sac et replacer les comptines ou chansons en ordre.

4. Faire une fiche avec les paroles des comptines ou des chansons que les élèves pourront consulter pour vérifier leur travail.

8. Activité de lecture
(fiche de l'enseignant)

Mon personnage préféré

1. Choisir des livres correspondant au niveau des élèves.

2. Placer des feuilles de papier pour que les élèves puissent écrire les caractéristiques du personnage.

9. Activité de lecture
(fiche de l'élève)

Lire et réagir à un texte

1. Lis le texte que t'a remis ton enseignant.

2. Réponds aux questions de compréhension.

10. Activité de lecture
(fiche de l'élève)

Je joue au détective

1. Choisis un des livres et lis-le.

2. Prends une feuille de papier et divise-la en 6 colonnes.

3. Joue au détective et trouve les mots suivants dans ton livre : 5 noms, 4 verbes, 4 déterminants, 5 mots qui riment, 3 mots nouveaux et 5 mots fréquents.

4. Inscris ces mots dans les colonnes appropriées.

9. Activité de lecture
(fiche de l'enseignant)

Lire et réagir à un texte

1. Choisir le texte que l'on veut faire lire aux élèves.

2. Préparer la feuille de questions de compréhension.

10. Activité de lecture
(fiche de l'enseignant)

Je joue au détective

1. Choisir des livres correspondant au niveau des élèves.

2. Placer des feuilles de papier pour les élèves.

3. On peut faire une feuille reproductible avec le titre des mots à trouver.

QUI

PROBLÈME

QUAND

OÙ

SOLUTION

TITRE DU LIVRE

Fiche 2.2 Des activités d'écriture pour les centres de littératie

1. Activité d'écriture (fiche de l'élève)

Compose des phrases

1. Compose trois phrases déclaratives.

2. Maintenant, écris chacune de tes phrases déclaratives à la forme interrogative, exclamative, impérative et négative.

3. N'oublie pas de mettre la bonne ponctuation à chacune de tes phrases.

2. Activité d'écriture (fiche de l'élève)

Qui est ma famille

1. Choisis un des mots que ton enseignant a inscrit sur la feuille.

2. Avec l'aide des dictionnaires, trouve au moins 10 à 12 mots et expressions de la même famille à laquelle appartient ton mot.

3. Continue ainsi pour chacun des autres mots.

2. Activité d'écriture (fiche de l'enseignant)

Qui est ma famille

1. Préparer une feuille reproductible sur laquelle on inscrit 5 mots que les élèves chercheront dans le dictionnaire. Choisir des mots qui peuvent se rattacher à des expressions.

2. Mettre différents dictionnaires à la disposition des élèves.

3. Activité d'écriture
(fiche de l'élève)

Je compose une devinette

1. Choisis 10 mots que l'on a lus dans notre histoire.

2. Écris une devinette au sujet de chacun de ces mots. N'oublie pas de mettre les réponses.

3. Demande tes devinettes à un ami dans ton centre.

5. Activité d'écriture
(fiche de l'élève)

J'écris à l'auteur

1. Après la lecture d'un livre, rédige une lettre à l'auteur pour lui faire part de tes commentaires.

2. Explique dans ta lettre ce que tu as aimé et ce que tu n'as pas aimé du livre.

4. Activité d'écriture
(fiche de l'élève)

Mon livre préféré

1. Écris une lettre à quelqu'un pour lui parler de ton livre préféré.

2. N'oublie pas de dire pourquoi tu aimes le livre, ce qu'il y a d'intéressant et pourquoi tu lui suggères de le lire.

3. Fais lire ta lettre à un ami dans ton centre.

6. Activité d'écriture
(fiche de l'élève)

Mon nom

1. Écris ton prénom et nom de famille sur une feuille de papier.

2. Écris une phrase avec chaque lettre de ton nom.

3. Défi pour toi : Essaie de mettre le plus de mots possible contenant la même lettre dans ta phrase.

7. Activité d'écriture
(fiche de l'élève)

Mes phrases imagées

1. Écris 10 phrases qui te font une image dans la tête.

2. Ensuite, illustre tes phrases.

9. Activité d'écriture
(fiche de l'élève)

Décris ce que tu vois

1. Choisis une image parmi les fiches contenues dans le sac.

2. Décris ce que tu vois sur l'image.

3. Assure-toi dans ton texte de répondre aux questions suivantes : Qui est le personnage (ou qui sont les personnages) ? Où se passe la scène ? Qu'arrive-t-il alors ?

8. Activité d'écriture
(fiche de l'élève)

Je réinvente la fin de l'histoire

1. Lis un des livres que ton enseignant te suggère.

2. Invente une nouvelle fin à ton livre.

3. Tu dois avoir au moins 10 phrases et tu ne peux pas changer les personnages.

9. Activité d'écriture
(fiche de l'enseignant)

Décris ce que tu vois

1. Trouver une dizaine d'images qui pourront inciter les élèves à composer un texte.

2. Coller ces images sur des cartons et les mettre dans un sac refermable.

3. Fournir du papier pour la rédaction.

| Fiche 2.3 | Des activités à faire avec le mur de mots durant les centres de littératie |

Activité 1

1. Choisis 8 mots du mur de mots.

2. Dessine une histoire avec tes mots.

3. Écris chaque mot en dessous du dessin.

4. Raconte ton histoire à un ami ou une amie.

Activité 3

1. Trouve 10 noms sur le mur de mots.

2. Écris-les.

3. Trouve maintenant un adjectif qui qualifie bien chaque nom et écris-le à côté du nom.

Activité 2

1. Choisis 10 mots du mur de mots et écris-les.

2. Sépare chaque mot en syllabes.

Activité 4

1. Écris les mots du mur de mots qui ont au moins 3 syllabes.

2. Sépare ensuite tes mots en syllabes.

Source : MALETTE, R. et VINET, C. (2014). *Les murs de mots, tome 2,* Montréal, Chenelière Éducation.

Activité 5

1. Choisis un ou une partenaire dans ton centre de littératie.

2. Jouez ensemble au bonhomme pendu en utilisant des mots du mur de mots. N'oublie pas de bien écrire tes mots.

Activité 6

1. Dans des magazines, découpe 5 images représentant 5 mots du mur de mots.

2. Colle tes images sur une feuille et écris le mot sous chaque image.

3. Compose ensuite une phrase avec chaque mot.

Activité 7

1. Choisis un meneur de jeu dans ton centre de littératie. Il va te donner des indices à propos d'un des mots du mur de mots (classe, sens, synonyme, antonyme, etc.).

2. Tu dois le trouver.

3. Si tu penses avoir la bonne réponse, inscris le mot sur un papier et montre-le au meneur de jeu.

4. Si la réponse est exacte, tu deviens le meneur de jeu.

Activité 8

1. Prends une bande de papier ou une feuille de papier dans le bac.

2. Plie ta feuille «en accordéon».

3. Écris et illustre 4 mots du mur de mots; un mot pour chacune des parties de la feuille.

Source: MALETTE, R. et VINET, C. (2014). *Les murs de mots, tome 2*, Montréal, Chenelière Éducation.

Annexe **G** — Le journal dialogué

Fiche 2.4 Le journal dialogué

Le journal dialogué est une communication écrite entre deux partenaires qui a lieu quotidiennement durant la semaine accordée à un cercle de lecture (deuxième période du bloc de littératie : 25 minutes pour la lecture, 25 minutes pour le journal dialogué, 10 minutes pour l'objectivation). Le journal dialogué peut fonctionner de deux manières.

Journal dialogué entre deux élèves

- Les élèves écrivent leurs impressions au sujet d'un aspect (personnage, événement) du texte qu'ils viennent de lire en cercle de lecture.

- Les partenaires (dyade) échangent leur journal dialogué et réagissent au commentaire écrit par leur collègue de classe.

- Les élèves continuent de cette façon toute la semaine.

- L'enseignant fait la lecture des échanges entre les élèves et fait un commentaire ou une suggestion.

Journal dialogué entre enseignant et élève

- Les élèves écrivent leurs impressions au sujet d'un aspect (personnage, événement) du texte qu'ils viennent de lire en cercle de lecture et remettent leur journal dialogué à l'enseignant.

- Par la suite, dans un esprit d'enseignement différencié, l'enseignant suggère des pistes d'élaboration pour que l'élève développe davantage ses idées.

- L'enseignant **ne corrige pas** le journal dialogué ; il dirige plutôt les réactions de l'élève.

- Bien que le support habituel du journal dialogué soit un cahier, il est aussi possible d'avoir un journal dialogué électronique.

Que le journal dialogué soit fait entre élèves ou entre l'élève et son enseignant, qu'il soit fait dans un cahier ou à l'ordinateur, il est important que le journal dialogué soit fait **en classe et non comme devoir** à faire à la maison.

Giasson (2000) suggère quelques entrées pour aider les élèves à démarrer leur journal dialogué. Ces entrées peuvent facilement faire partie d'un **mur de mots** affiché en permanence dans la classe.

Exemple d'un journal dialogué entre deux élèves

Sébastien	Chantal
Titre du livre: *Le chasseur de dragons*	Titre du livre: *Le chasseur de dragons*
Premier commentaire: • À mon avis c'est un bon livre parce qu'il y a beaucoup d'action. Deuxième commentaire: • Oui, mais j'aime mieux quand ils montrent qu'ils sont les plus forts. Troisième commentaire: • Peut-être, mais je me demande quoi?	Premier commentaire-réponse: • Je suis d'accord avec toi, Sébastien, mais je me suis surtout intéressée aux personnages. Ils sont capables de déjouer leurs ennemis. Deuxième commentaire-réponse: • Il n'y a pas juste ça qui compte dans une histoire, tu sais. Troisième commentaire-réponse: • Le style de l'auteur et le vocabulaire utilisé pour décrire les scènes d'action sont extraordinaires. Il y a certains passages qui me laissent époustouflée.
Commentaire de l'enseignante: • Sébastien, essaie d'apprécier comment l'auteur organise le récit et cherche des passages du texte que tu aimes. Quatrième commentaire-réponse à l'enseignante: • C'est beau, je vais essayer. Chantal m'a dit la même chose.	**Commentaire de l'enseignante:** • Chantal, essaie de trouver le fil conducteur de cette histoire et les valeurs véhiculées par les personnages. Quatrième commentaire-réponse à l'enseignante: • Je suis d'accord avec vous, madame Christiane.

Suggestions pour démarrer les entrées

- Je pense que…
- Je crois que…
- À mon avis…
- Cela (décrire l'événement) me fait penser à…
- Je suis d'accord/Je ne suis pas d'accord avec…
- Je prévois que…
- Je me sens triste/heureux/désappointé parce que…

- Je remarque que…
- Je me demande si…
- J'aime/Je n'aime pas…
- Si…, alors…
- J'ai de la difficulté à croire que…
- Je ne suis pas certain que…
- J'espère que…

Source: GIASSON, J. (2000). *Les textes littéraires à l'école*, Boucherville, Gaëtan Morin Éditeur.

Exemples de trois journaux dialogués entre élève et enseignant

Sébastien	Chantal	Étienne
Date : _____	Date : _____	Date : _____
Titre du livre : *Amos et Boris*	Titre du livre : *Amos et Boris*	Titre du livre : *Amos et Boris*
Chère madame Christiane, J'ai aimé cette histoire parce qu'elle me fait comprendre qu'on peut devenir ami avec quelqu'un de très différent de nous. **Cher Sébastien,** Moi aussi j'ai aimé cette histoire surtout à cause **des mots utilisés** pour imaginer ce qui se passe : «Amos est accablé par la beauté du paysage.» À ton avis, qu'est-ce que ça veut dire ? **Chère madame Christiane,** À mon avis, ça veut dire qu'il était *icnotisé* (hypnotisé) par ce qu'il voyait.	**Chère madame Christiane,** J'ai trouvé l'histoire triste mais belle. Boris a sauvé la vie d'Amos et Amos a sauvé la vie de Boris, mais je me sens malheureuse parce qu'à la fin, ils doivent se séparer. **Chère Chantal,** Moi aussi j'ai trouvé cette histoire triste mais belle. Il y avait des passages du livre que j'imaginais facilement. Et toi ? As-tu aimé un passage en particulier ? **Chère madame Christiane,** Oui, j'ai beaucoup aimé la phrase : «Aussi petit qu'il soit, je l'aime très fort.»	**Chère madame Christiane,** J'ai lu juste 4 pages parce que j'avais ma pratique de hockey mais j'ai bien aimé quand Amos a construit son bateau. **Cher Étienne,** Pourquoi aimes-tu quand Amos construit son bateau ? **Chère madame Christiane,** Je crois que c'est parce qu'il entend le bruit des vagues. J'aimerais être à sa place. **Cher Étienne,** Je ne comprends pas très bien. Peux-tu m'expliquer autrement ? **Chère madame Christiane,** C'est que j'aime bien l'air de la mer. **Cher Étienne,** Moi aussi Étienne, j'aime beaucoup la mer.

Source : adapté de TERWAGNE, S., VANHULLE, S. et LAFONTAINE, A. (2003). *Les cercles de lecture*. Bruxelles, Éditions de Boeck.

Bibliographie

Ouvrages de référence

COFFRET D'ÉVALUATION EN LECTURE GB+ (2010). Montréal, Chenelière Éducation.

CONZEMIUS, A. et O'NEILL, J. (2002). *The handbook for SMART school teams*, Bloomington, Indiana, Solution Tree.

DUFOUR, R. et EAKER, R. (1998). *Communautés d'apprentissage professionnelles*, Bloomington, Indiana, Solution Tree.

FREEBODY, P. et LUKE, A. (1992). *Literacy as engaging new forms of life: the four roles model.* Dans G. Bull et M. Antsey (dir.) (2003). *The literacy lexicon*, 2ᵉ éd., French Forest (NSW), Pearson Education, Australia.

GIASSON, J. (1990). *La compréhension en lecture*, Boucherville, Gaëtan Morin Éditeur.

GIASSON, J. (1995). *La lecture: de la théorie à la pratique*, Boucherville, Gaëtan Morin Éditeur.

GIASSON, J. (2000). *Les textes littéraires à l'école*, Boucherville, Gaëtan Morin Éditeur.

GIASSON, J. (2003). *La lecture: de la théorie à la pratique*, 2ᵉ éd., Boucherville, Gaëtan Morin Éditeur.

HEALY, L. (1998). Dans TREHEARNE, M. (2006). *Littératie de la 3ᵉ à la 6ᵉ année – Répertoire de ressources pédagogiques*, Mont-Royal, Groupe Modulo.

HULLEY, W. et DIER, L. (2005). *Havres d'espoir*, Bloomington, Indiana, Solution Tree.

LECLERC, M. (2012). *Communauté d'apprentissage, Guide à l'intention des leaders scolaires*, Québec, Presses de l'Université du Québec.

LEHR, F. (1986). «ERIC/RCS: Direct Instruction in Reading», *The Reading Teacher*, vol. 39, nᵒ 7, p. 706-714.

MALETTE, R. et VINET, C. (2010). *Les murs de mots*, Montréal, Chenelière Éducation.

MALETTE, R. et VINET, C. (2014). *Les murs de mots, tome 2*, Montréal, Chenelière Éducation.

MCLAUGHLIN, M. et ALLEN, M. B. (2010). *Enseigner la compréhension en lecture*, Montréal, Chenelière Éducation.

MINISTÈRE DE L'ÉDUCATION DE L'ONTARIO (2006). *Guide d'enseignement efficace en matière de littératie de la 4ᵉ à la 6ᵉ année*, Fascicules 2, 3 et 4, Toronto, Ministère de l'Éducation de l'Ontario.

MINISTÈRE DE L'ÉDUCATION DE L'ONTARIO (2007). *Guide d'enseignement efficace en matière de littératie de la 4ᵉ à la 6ᵉ année*, Fascicules 5 et 6, Toronto, Ministère de l'Éducation de l'Ontario.

MINISTÈRE DE L'ÉDUCATION DE L'ONTARIO (2008a). *Guide d'enseignement efficace en matière de littératie de la 4e à la 6e année,* Fascicule 7, Toronto, Ministère de l'Éducation de l'Ontario.

MINISTÈRE DE L'ÉDUCATION DE L'ONTARIO (2008b). *Guide d'enseignement efficace de la communication orale de la maternelle à la 3e année,* Toronto, Ministère de l'Éducation de l'Ontario.

MINISTÈRE DE L'ÉDUCATION DE L'ONTARIO (2008c). *Guide d'enseignement efficace de l'écriture de la maternelle à la 3e année,* Toronto, Ministère de l'Éducation de l'Ontario.

NATIONAL INSTITUTE OF CHILD HEALTH AND HUMAN DEVELOP-MENT (1997). *Report of the National Reading Panel. Teaching children to read : An evidence based assessment of the scientific research literature on reading and its implications for reading instruction,* (NH Publication n° 00-4769), Washington, DC, U.S. Government Printing Office.

PALINSCAR, A. et BROWN, A. (1985). *Reciprocal teaching of comprehension – fostering and comprehension – monitoring activities,* Cognition Instruction 1, p. 117-175.

PEARSON, D. et DOLE, J. (1987). *Explicit Comprehension Instruction,* The Elementary School Journal, University of Chicago Press.

ROBERTS, S. M. et EUNICE, Z. P. (2009). *Les communautés d'apprentissage professionnelles,* Montréal, Chenelière Éducation.

ROSENSHINE, B. (1986). *Teaching Functions, Handbook of Research on Teaching,* 3e éd., New York, Macmillan.

ROUTMAN, R. (2010). *Enseigner l'écriture : revenir à l'essentiel,* Montréal, Chenelière Éducation.

SNOW, C. E., BURNS, M. S. et GRIFFIN, P. (1998). *Preventing Reading Difficulties in Young Children,* Washington, DC, National Academy Press.

TERWAGNE, S., VANHULLE, S. et LAFONTAINE, A. (2003). *Les cercles de lecture,* Bruxelles, Éditions de Boeck.

TOMLINSON, C. A. (2004). *La classe différenciée,* Montréal, Chenelière Didactique.

TREHEARNE, M. (2006). *Littératie de la 3e à la 6e année – Répertoire de ressources pédagogiques,* Mont-Royal, Groupe Modulo.

UNESCO (1998). Association internationale pour la lecture, Newark, États-Unis d'Amérique. Dans TREHEARNE, M. (2006). *Littératie de la 3e à la 6e année – Répertoire de ressources pédagogiques,* Mont-Royal, Groupe Modulo.

UNESCO (1999). Association internationale pour la lecture, Newark, États-Unis d'Amérique. Dans TREHEARNE, M. (2006). *Littératie de la 3e à la 6e année – Répertoire de ressources pédagogiques,* Mont-Royal, Groupe Modulo.

Livres pour la jeunesse

CHABOT, J. (1998). *Le malaise du mélèze*, Montréal, Graficor, coll. «Tri-Oh».

EGGLETON, J. (2012). *Martin le marin*, Montréal, Chenelière Éducation.

GAY, M. L. (1990). *Bonne fête Willy*, Saint-Lambert, Les Éditons Héritage.

GILES, J. (2005). *La petite poule rousse*, Montréal, Groupe Beauchemin, coll. «GB+ Contes et théâtre».

GUILLEMETTE, S., LÉTOURNEAU, G. et RAYMOND, N. (1994). *Une maison pour une marmotte*, Boucherville, Graficor, coll. «Mémo 3».

HALL, K. (2001). *Vite petit suisse*, Richmond Hill, Éditions Scholastic.

HARCOURT, L. et WORTZMAN, R. (2003). *Le marchand de crème glacée*, Montréal, Les éditions de la Chenelière.

MEHARRY, D. (2010). *Le trou dans la chaussette du roi*, Montréal, Chenelière Éducation.

PAPINEAU, L. (2005). *Oscar le drôle de ouistiti*, Saint-Lambert, Dominique et compagnie, Les éditions Héritage, coll. «Gilda la girafe».

SAVAGE, M. et ADOLPHE, G. (2008). *L'Amérique en contes et légendes*, Montréal, Les publications Modus Vivendi.

WERRY, P. (2010). *Les fabuleuses libellules*, Montréal, Chenelière Éducation.